대표 편집위원
무네타 타케시

편집위원
무네타 타케시
나카무라 시게루
이와사키 노리마사
사이료 코우이치

● Surgical treatments for return to athletic activities; Knee

슬관절 관절경 수술 아틀라스
——— 슬관절 스포츠 손상의 수술적 치료

역자 송영동

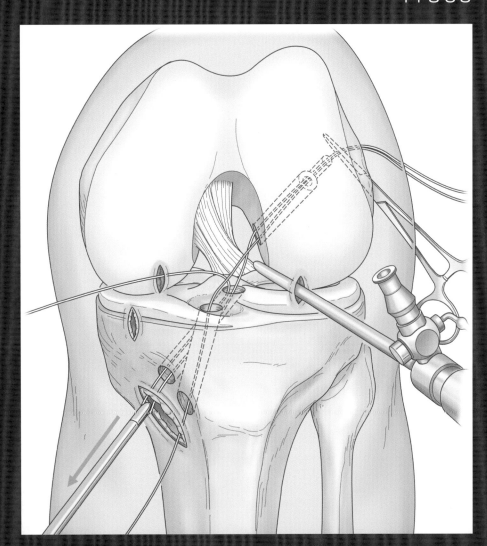

KOONJA

슬관절 관절경 수술 아틀라스
—— 슬관절 스포츠 손상의 수술적 치료

Surgical treatments for return to athletic activities; Knee

첫째판 1쇄 인쇄 | 2022년 6월 7일
첫째판 1쇄 발행 | 2022년 6월 28일

담 당 편 집　MUNETA Takeshi
옮 긴 이　송영동
발 행 인　장주연
출 판 기 획　한수인
책 임 편 집　구경민
편집디자인　신지원
표지디자인　신지원
발 행 처　군자출판사
　　　　　등록 제 4-139호(1991. 6. 24)
　　　　　본사 (10881) **파주출판단지 경기도 파주시 회동길 338**(서패동 474-1)
　　　　　전화 (031) 943-1888　팩스 (031) 955-9545
　　　　　홈페이지 | www.koonja.co.kr

OS NEXUS No. 5 SPORTS FUKKI NO TAME NO SHUJUTSU HIZA
edited by MUNETA Takeshi et al.
Copyright © 2016 MEDICAL VIEW CO., LTD., Tokyo
All rights reserved.
Originally published in Japan by MEDICAL VIEW CO., LTD., Tokyo.
Korean translation rights arranged with MEDICAL VIEW CO., LTD., Japan
through THE SAKAI AGENCY and A.F.C. LITERARY AGENCY.

ISBN　979-11-5955-885-6

정가: 90,000원

스포츠 선수의 슬관절에서 발생하는 외상·장애는 보존치료가 우선 고려되어야 하지만, 불가피하게 수술치료를 선택해야 할 증례나 처음부터 수술치료를 선택해야만 하는 경우가 있는 것도 사실이다. 전방십자인대(anterior cruciate ligament; ACL) 손상은 수술치료로서의 재건술이 필요한 대표적인 무릎손상이며 미국에서 전체 수술순위 6위라는 보고도 있을 정도이다. 이 책에서는 ACL 재건술에 대한 대표적인 접근법과 현재 일본에서의 수술방식을 가장 큰 비중으로 기술하였다. 한편, 스포츠 선수의 후방십자인대(posterior cruciate ligament; PCL) 손상에 대한 수술 적응증은 비교적 제한적이며, 전후방 동요 Grade II PCL 손상을 입은 채로 스포츠를 문제 없이 지속하는 선수도 많지만, 굴곡 시의 외회전 불안정성을 수반하는 PCL 손상과 외반 스트레스 Grade III의 불안정성을 나타내는 PCL 손상에서는 각각 후외측과 내측 구조물의 재건 및 보강술을 실시할 필요가 있는 경우가 있어 관련 내용을 기술하였다.

슬개골 탈구가 스포츠 선수에게 생기는 일은 드물지 않은 편으로, 스포츠 복귀 시에 반복되는 불안정성을 경험하는 선수에 대해서는 내측슬개대퇴인대 재건술이 시행되는 경우가 많다. 슬개골 불안정성은 병태가 복잡하기 때문에 외측지대유리술을 동시에 시행해야 하는 증례나, 경골조면 전위술이 적응되는 예도 있어서 구체적인 술기에 대해서 기술하였다.

스포츠 선수의 반월판 손상 빈도가 높고, 최근 반월판 기능의 중요성이 서서히 인식되면서 "Save the Meniscus"를 세계적인 캐치프레이즈로 하여 반월판 보존과 기능회복을 위한 노력이 추진되고 있다. 스포츠 선수의 반월판 손상에 있어서도 반월판의 기능을 할 수 있는 한 보존하려는 노력을 거듭하고 있다. 최근 일본에서 시도하고 있는 외측 반월판의 돌출에 대한 centralization 수술법은 지금까지 행해지지 않은 새로운 시도이다. 향후, 여러 병원에서 시행되어 그 적응증과 성적에 대해 널리 경험을 공유할 수 있기를 기대한다.

정확한 수술 술기는 스포츠 복귀에 필수적이지만 그것은 출발일 뿐이다. 선수가 속한 종목, 스포츠 레벨(프로, 아마추어, 동호회 등), 환자의 체질이나 개인적인 성격을 잘 이해하고 순서를 세운 재활훈련이 수술과 마찬가지로 중요하다는 것은 말할 필요도 없다. 또한 재발을 예방하는 훈련을 계속하는 것도 수술 후 스포츠 복귀의 중요한 포인트이다.

본 책이 환자와 의사 모두에게, 스포츠 복귀를 위해 보다 나은 출발에 도움이 되기를 기대한다.

2019年 10月

도쿄의과치과대학 대학원 의치학종합연구과 운동기외과학

宗田　大(무네타 타케시, Takeshi Muneta)

역자의 말

　이 책은 일본 의학서적 전문회사인 메디칼뷰사의 정형외과 수술 아틀라스 'OS NEXUS' 시리즈 중 슬관절 관절경 수술을 담은 제5권을 번역한 책입니다. 일본 정형외과 의사들을 위한 책이므로 한국의 진료현장에 곧바로 적용하기 어려운 부분도 있습니다. 일례로, 일본에서는 단일다발이 아닌 이중다발 전방십자인대 재건술을 선호하면서도 동종건 이식은 극히 제한적이라서 자가건을 최대한 보존하기 위해서, 반건양건을 반으로 잘라서 이중다발 수술을 시행하는 경우가 많습니다. 게다가 사용하는 수술기구들이 일본에서 자체제작되어 한국에서는 사용이 어려운 경우도 있습니다. 하지만, 그러한 차이가 분명히 존재함에도 불구하고, 더 나은 수술 결과를 만들기 위해서 궁리하는 일본 정형외과 의사들의 다양한 방면으로의 노력은 분명 한국의 의사들에게 좋은 참고자료가 될 수 있다고 확신합니다.

　정형외과학 7판과 대한슬관절학회 용어집을 주로 참조하여 되도록 우리말 의학용어를 사용하였고, 고유명사는 가급적 원어 발음에 유사하도록 한글로 명시했습니다만 문장 안에서 의미가 명확하게 전달이 되지 않는다고 판단된 경우에는 역주를 추가하거나, 영어로 명시했습니다. 가급적이면 저자들의 의도를 충실하게 반영하려고 노력했습니다만, 혹시라도 이해하기 어려운 부분이 있다면 우선은 역자의 부족함을 탓해주시고, 각 챕터별로 인용된 논문들을 참고해주시기 바랍니다.

　이 자리를 빌어 감사해야 할 분들이 많습니다. 가장 먼저 일본생활을 함께 하고 있는 가족들, 그리고 항상 응원해주시는 어머님과 형님, 누님에게 감사의 말씀을 드립니다. 또한, 여러 스승님들에게 은혜를 받기만 하였습니다. 부족함이 많은 저에게 슬관절학에 입문할 기회를 주셨고, 더 넓은 세계에서 공부할 수 있도록 도와주신 김태균 교수님, 슬관절 관절경을 견학시켜 주시고 격려해 주시던 왕준호 교수님, 전임의 시절 최신 관절경에 대해서 배움을 주셨던 이용석 교수님께 제자로서 감사의 말씀을 드립니다. 그리고 의국 선배로서 저를 정형외과의 길로 인도해 주신 부산큰병원의 정주선 원장님께 항상 감사하는 마음을 갖고 있습니다. 또한, 일본 출판사와 복잡한 문제들에 대해서 항상 인내를 갖고 도와주신 군자출판사 한수인 팀장님과 편집을 맡아주신 신지원 과장님과 구경민 사원님께도 감사드립니다.

　마지막으로 일본어는 커녕 영어도 제대로 못해서 교수님들께 민폐 끼치는 나이 많은 외국인 대학원생을 친절하게 지도해주시고, 가족들 안부까지 챙겨주시며 따뜻하게 배려해주시는 교토대학 정형외과학교실 주임교수 마츠다 슈이치(松田 秀一) 교수님을 비롯해 슬관절팀의 쿠리야마 신이치 선생님(栗山 新一), 나카무라 신이치로 선생님(中村 伸一郎), 니시타니 코헤이 선생님(西谷 江平)께 감사의 말씀을 드립니다. 아무쪼록 앞으로도 잘 부탁드립니다.

2022年 6月

교토대학 대학원 의학연구과

송 영동(宋 永同/YD. Song)

슬관절 관절경 수술 아틀라스

CONTENTS

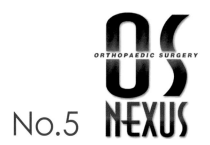

No.5

집필자

▨ 편집위원

무네타 타케시   도쿄의과치과대학 대학원 의치학종합연구과 운동기외과학

▨ 집필자(게재순)

기타무라 노부토	홋카이도대학 대학원 의학연구과 기능재생의학강좌 스포츠의학 분야
야스다 카즈노리	홋카이도대학 대학원 의학연구과 기능재생의학강좌 스포츠의학 분야
무네타 타케시	도쿄의과치과대학 대학원 의치학종합연구과 운동기외과학
나카마에 아쓰오	히로시마대학 대학원 의치약 보건학연구원 정형외과학
오치 미쓰오	히로시마대학 대학원 의치약 보건학연구원 정형외과학
아다치 노부오	히로시마대학 대학원 의치약 보건학연구원 정형외과학
시노 콘세이	유키오카 병원 스포츠정형외과센터
마에 타츠오	오사카대학 대학원 의학계연구과 기관제어외과학(정형외과)
야마모토 유지	히로사키대학 대학원 의학연구과 정형외과학 강좌
이시바시 야스유키	히로사키대학 대학원 의학연구과 정형외과학 강좌
키무라 마사시	젠슈카이 병원
하시모토 유스케	오사카시립대학 대학원 의학연구과 정형외과학
코가 히데유키	도쿄의과치과대학 대학원 의치학종합연구과 운동기외과학
세키야 이치로	도쿄의과치과대학 재생의료 연구센터
구로다 료스케	고베대학 대학원 의학연구과 정형외과학
마츠시타 타케히코	고베대학 대학원 의학연구과 정형외과학
토리즈카 유키요시	간사이 산재 병원 스포츠정형외과
츠다 에이이치	히로사키대학 대학원 의학연구과 정형외과학강좌
이시바시 야스유키	히로사키대학 대학원 의학연구과 정형외과학강좌
나카가와 야스아키	국립병원기구 교토 의료센터 정형외과
무카이 쇼고	국립병원기구 교토 의료센터 정형외과
츠치야 아키히로	후나바시 정형외과병원 스포츠의학센터

전방십자인대(ACL)

I

I. 전방십자인대(ACL)

잔여 조직을 보존한 해부학적 이중다발 전방십자인대 재건술

홋카이도대학 대학원 의학연구과 기능재생의학강좌 스포츠의학 분야 **기타무라 노부토(Nobuto Kitamura)**
홋카이도대학 대학원 의학연구과 기능재생의학강좌 스포츠의학 분야 **야스다 카즈노리(Kazunori Yasuda)**

Introduction

수술 전 고려 사항

● 적응증과 금기증

해부학적(anatomic) 이중다발 전방십자인대(anterior cruciate ligament; ACL) 재건술[1]의 본질을 유지하면서 잔여 조직의 보존(remnant tissue preservation)이 가능한 본 술식[2]의 적응증은 일반적인 ACL 재건술의 적응증 중에서도 ACL 잔여 조직이 존재하는 증례들에 한정해야 하며, 특히 잔여 조직이 대퇴골 또는 후방십자인대에 부착되어 있는 증례가 가장 좋은 적응증이다. 본 술식은 잔여 조직을 절제하지 않고 수술이 가능하다는 것이 큰 특징이다. 그러므로, 양호한 임상 성적을 얻기 위해서는 이식건을 잔여 조직으로 충분히 덮는 것이 중요하다.

● 마취

마취는 요추마취나 전신마취를 이용한다.

● 수술 체위

수술 체위는 앙와위로 하고, 환측에는 지혈대를 장착한다. 관절경수술용 하지 고정기(leg holder)는 특별히 사용할 필요는 없다. 환측 하지를 고관절 외전시켜서 수술대에서 하퇴를 수술대 측면으로 하수(下垂, hanging free)시키는 것이 가능하면서, X선 투시장치가 수술 중에 조작되기 쉽도록 환측 하지의 위치를 조정한다 📷1, 📷2.[3]

일반 수술포를 사용하고, 관절경수술용 수술포를 추가로 장착한다. 시술자는 수술대 측면에 자리를 잡고, 무균성을 유지한 수술포의 가장자리를 시술자의 허리에 hemostat으로 고정해서, 수술대에서부터 시술자까지 연속되는 무균성 공간을 만들어 환측을 수술대에서 하수시켜도 aseptic 상태를 유지할 수 있도록 한다 📷3.

수술 진행

1	이식건 채취
2	진단적 관절경
3	경골터널 제작
4	대퇴골터널 제작
5	이식건 고정
6	창상봉합

Fast **C**heck

❶ 경경골술기(transtibial technique)의 기본 개념을 바르게 이해한다.

❷ 잔여 조직(remnant tissue)의 양(volume)과 부착된 부위를 평가한다.

❸ 터널 위치의 재확인 등을 통해서 수술 중 혹은 수술 후 이중다발의 전내측, 후외측 터널이 합쳐지는 합병증인 터널 간 융합(convergence)을 피할 수 있도록 한다.

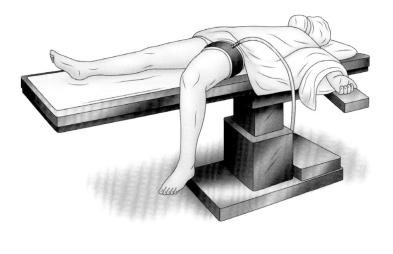

📷1 수술 체위①

수술 전에 환지는 고관절을 외전하여 수술대에서 하수가 가능한 것을 확인한다.

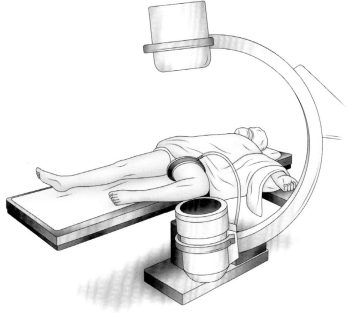

📷2 수술 체위②

수술 전에 환측을 cross-over leg 형태로 만들어서, 수술 중 X선 투시가 원활하게 이루어지는지 확인한다.

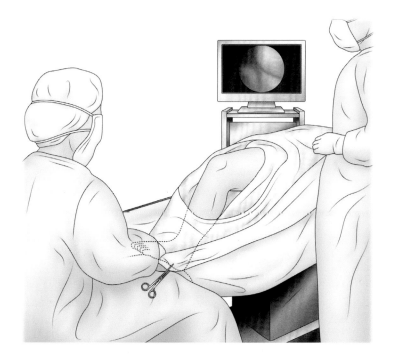

📷3 수술 체위③

무균성이 유지된 공간 내에서 환측의 족부를 시술자의 무릎에 올려놓고 관절경을 시행한다.

수술 술기

1 이식건 채취

거위발건이 주행하는 방향에 맞추어 약 3 cm의 비스듬한 피부 절개를 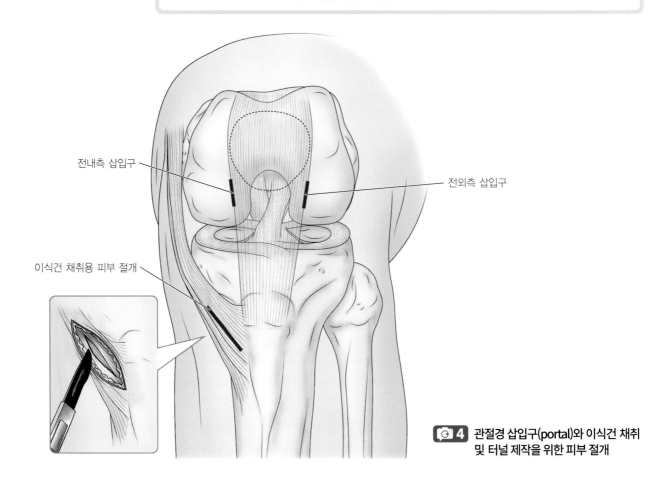4 처럼 하고, 봉공근막상에서 박근 및 반건양근을 촉지하면서 박건 및 반건양건의 주행을 따라 봉공근막을 절개한다. 반건양건 주위를 박리하고 하퇴근막으로의 분지(accessory insertion)를 처리한 후에 tendon stripper를 이용하여 반건양건을 채취한다 5. 반건양건 길이와 직경을 아래에 서술한 길이와 직경만큼 충분하지 않게 채취된 경우에는 박건도 채취한다. 이식건 모양을 만드는 방법은 하나의 반건양건을 길이 절반으로 자른 후, 이등분해서 나눠진 이식건을 다시 반으로 접어서(doubled) 그 양단을 2-0 polyester suture를 이용하여 side-by-side 봉합하여 루프(loop)를 형성한다. 이렇게 만들어진 두 개의 이식건이 전내측 다발(anteromedial bundle; AMB)용, 후외측 다발(posterolateral bundle; PLB)용 이식건이 된다. 이들 자가건의 길이는 AMB용으로 50~60 mm, PLB용으로 45~55 mm가 되도록 조절한다. 대퇴골 터널의 길이가 결정되면 적절한 길이의 ENDOBUTTON® CL BTB (Smith & Nephew사)를 선택한다. 직경은 전체적으로는 거의 균일하지만 보통 전내측이 6~7 mm, 후외측은 5~6 mm의 직경을 갖는다. 경골측의 고정을 위해서 폭 10 mm의 polyester mesh tape (Leeds-Keio 인공인대)를 이식건의 나머지 루프에 통과시켜 이중으로 접고, 이식건의 측면 봉합 부분을 감싸도록 한 뒤 다시 2-0 polyester suture로 봉합한다 6.

코멘트 **NEXUS view**

이식건의 직경은 5~7 mm이지만, 이식건이 확실하게 장착되면 ENDOBUTTON® CL BTB의 루프 부분에서 이식건이 눌리기 때문에 표시된 길이보다 1~3 mm 정도 길어진다. 이 오차를 계산에 넣어 ENDOBUTTON® CL BTB의 길이를 선택해야 한다.

전내측 삽입구

전외측 삽입구

이식건 채취용 피부 절개

4 관절경 삽입구(portal)와 이식건 채취 및 터널 제작을 위한 피부 절개

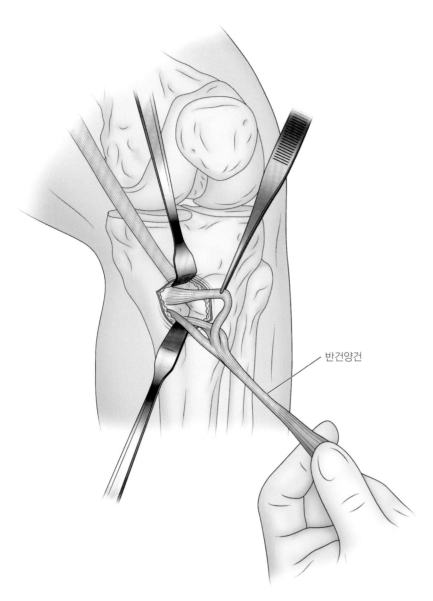

반건양건

5 이식건 채취

반건양건에서 하퇴근막으로의 보조건 (accessory tendon)을 박리하고, 이식건의 근위부분을 충분히 주변부에서 박리하는 것이 중요하다.

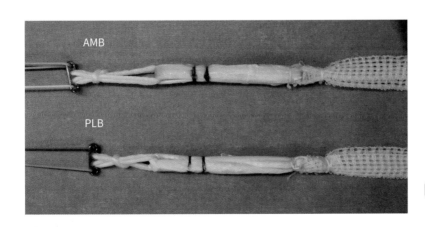

AMB

PLB

6 AMB 및 PLB용 이식건 및 고정장치

2 진단적 관절경

　전외측 및 전내측 삽입구를 슬개건 양쪽 가장자리 경계부에 제작한다 📷4. 30도 관절경을 사용하여 잔여 조직 전체를 관찰하고 잔여 조직의 양과 함께 그 주행, 부착부를 확인한다 📷7. 잔여 조직은 대퇴골 혹은 후방십자인대(posterior cruciate ligament; PCL)에 부착되고 과간 공간(intercondylar space)의 원위 및 전방에 위치하는 경우가 많다. 탐색자(probe)를 사용하여 잔여 조직의 가동성과 수술 시야에 미치는 영향을 평가하고, 관절경 시야에서 해부학적 ACL 부착부를 명확하게 확인할 수 있는지를 확인한다. 이때, 전내측 삽입구로부터 관절경 평가도 실시한다. 반월판이나 연골손상, 다른 인대손상 등의 합병손상 여부를 확인하고 필요에 따라 처치한다.

코멘트　**NEXUS view**

　후외측 대퇴터널은 전내측 삽입구에서 관절경으로 관찰하면 정확한 위치 확인이 가능하지만 잔여 조직으로 인하여 시야를 확보할 수 없는 경우도 있다. 탐색자 등을 사용하여 관찰 가능한 범위를 정확히 확인한다.

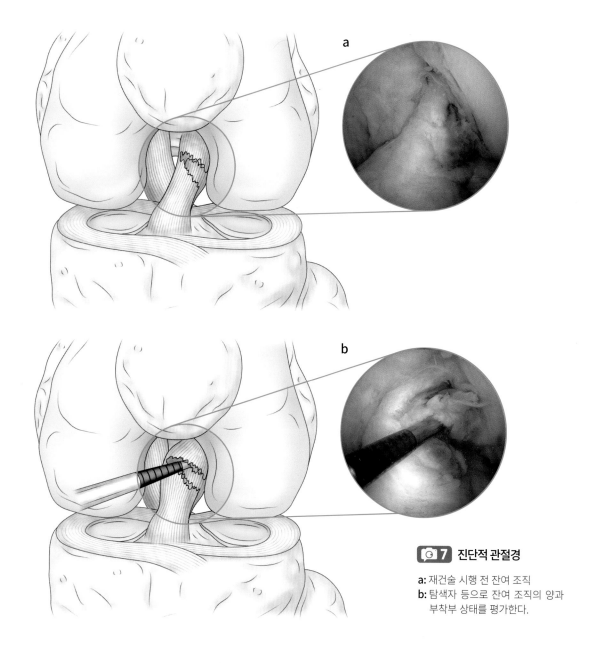

📷7 **진단적 관절경**

a: 재건술 시행 전 잔여 조직
b: 탐색자 등으로 잔여 조직의 양과
　　부착부 상태를 평가한다.

3 경골터널 제작

잔여 조직을 보존하는 본 술식[2])은 경경골술기(transtibial technique)를 이용한 해부학적 이중다발 ACL 재건술 방법을 충분히 숙달한 후에 실시해야 한다.

먼저 경골 PLB 터널을 만들고, 그 다음에 경골 AMB 터널의 순서로 제작한다. Kirschner 강선 (K-wire)을 사용하며, 대퇴골과 경골 표식자를 동시에 가지고 있는 경골터널 제작용 가이드인 Wire-navigator (Smith & Nephew사, Japan)를 이용한다 ⓒ8. 전외측 삽입구를 관찰삽입구(viewing portal)로 하고, 전내측 삽입구에서 기구를 넣고 시술한다. 이 기구는 관절 내부에 존재하는 2점, 즉 각각 재건될 경골의 근위 개구부와 대퇴골 원위 개구부의 위치를 육안으로 확인하면서 조정할 수 있는 transtibial 컨셉을 응용한 기구이다. 슬관절 90° 굴곡에서 관절경으로 보면서 Wire-navigator 끝에 위치한 tip 부위를 잔여 조직의 외측 및 후방으로 삽입한다 ⓒ9a, b. ACL 전연과 over-the-back ridge (retro-eminence ridge)를 탐색자로 촉지하여 ACL foot print의 전후 거리를 확인하고 경골 표식 자를 PLB의 경골 부착부에 위치하게 하며, 대퇴골 표식자를 PLB의 대퇴골 부착부로 향하도록 Wire-navigator의 위치를 조정하고, 위치가 적절하면 wire-sleeve를 경골 전내측면에 고정한다. 이 상태 에서 wire-sleeve에 2 mm 지름의 K-wire를 삽입하면, 내측 측부인대를 손상시키지 않고도, 정상 PLB의 대퇴골과 경골 양쪽에서의 부착부(foot print)를 지나는 방향으로 터널이 만들어진다. 탐색자를 이용해서 잔여 조직을 외측으로 젖히면서 K-wire tip의 위치를 확인하고, 문제가 없으면 K-wire를 가 이드로 직경 5~6 mm 터널을 제작한다 ⓒ9c .

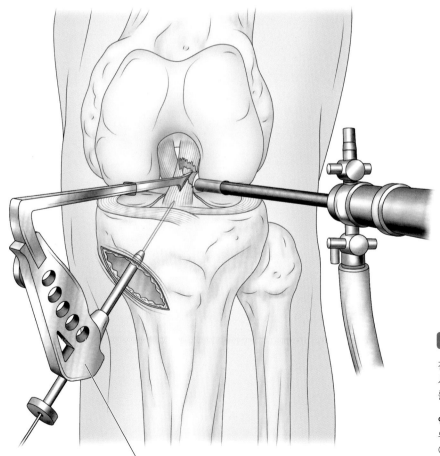

Wire-navigator

ⓒ8 **경골 PLB 터널 제작①**

전외측 삽입구에서 관찰경으로 관찰하면 서, 전내측 삽입구로부터 Wire-navigator 를 삽입한다.

역자 주: Wire-navigator의 tip 부분은 근 위 경골 개구부 및 경경골술기상에서 만들 어질 원위 대퇴골 개구부까지 확인할 수 있게 만들어진 기구이다.

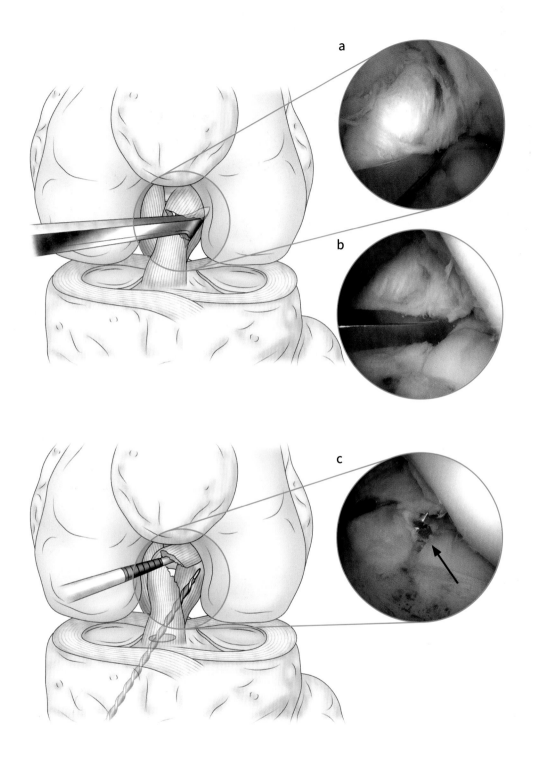

📷9 **경골 PLB 터널 제작②**

a, b: Wire-navigator의 경골 표식자를 경골 부착부에 위치하게 하고 대퇴골 표식자를 PLB의 대퇴골 부착부로 향하도록 가이드의 위치를 조정한다.

c: K-wire를 가이드로 삼아서 오버드릴 한다.

　다음으로는 잔여 조직의 경골 측 가운데 중심부를 메스를 이용해서 세로로 절개한다 📷10a. 경골 표식자를 그 절개부에서 AMB의 경골 부착부 중심에 고정시킨 상태로 유지하고, 슬관절 90° 굴곡 상태에서 대퇴 표식자를 AMB의 대퇴골 부착부(1시 반 또는 10시 반)로 향하도록 Wire-navigator를 위치를 조정한 뒤 적절한 위치에서 wire-sleeve를 경골 전내측 표면에 고정한다 📷10b. 이 상태에서 wire-sleeve에 2 mm 지름의 K-wire를 삽입할 때 경골조면의 내측으로부터 진입하여 정상 AMB의 양측 부착부를 지나는 방향으로 삽입한다 📷10c. 위치를 확인하고 특별한 이상이 발견되지 않으면 K-wire를 가이드로 삼아 6~7 mm의 터널을 제작한다.

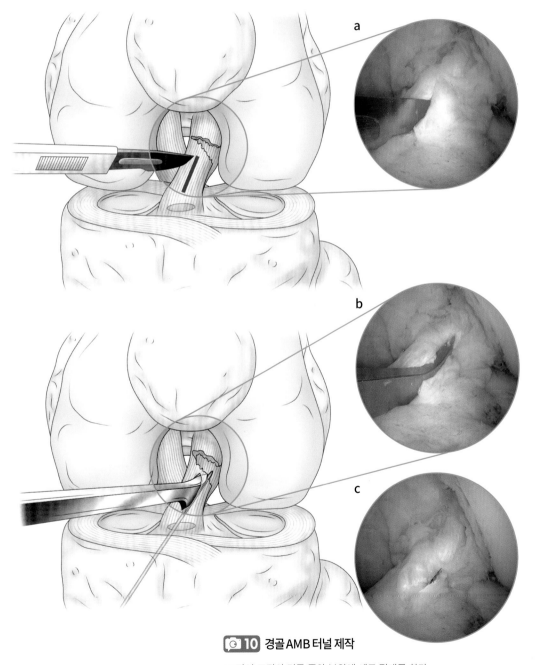

📷10 경골 AMB 터널 제작

a: 잔여 조직의 경골 중앙 부위에 세로 절개를 한다.
b: 경골 표식자를 경골 부착부로 찔러 넣어 유지하고 대퇴골 표식자를 AMB의 대퇴골 부착부로 향하도록 가이드를 잡는다.
c: 삽입된 K-wire의 tip이 적절한 위치인지 재확인한다.

코멘트 **NEXUS view** ///

경골터널을 만들 때, 대퇴골터널 제작을 염두에 두고 위치를 결정하는 것이 중요하다. 경골터널과 경골의 해부학축이 이루는 각도가 너무 작으면 K-wire가 대퇴골 부착부보다 원위/전방을 향하기 쉽고, 각도가 너무 크면 경골 내측과간융기 손상이나 연골손상이 생길 수 있으므로 주의한다 📷11.

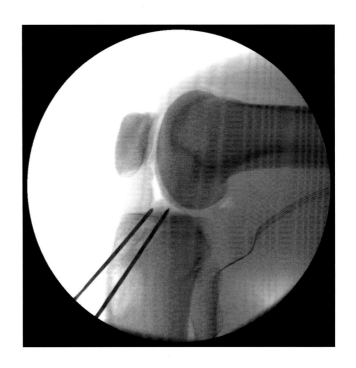

📷11 **K-wire 삽입 위치**

K-wire 삽입 위치 확인은
X선 투시장치를 이용해서 확인한다.

4 대퇴골터널 제작

대퇴골터널을 경경골술기를 이용해서 만든다 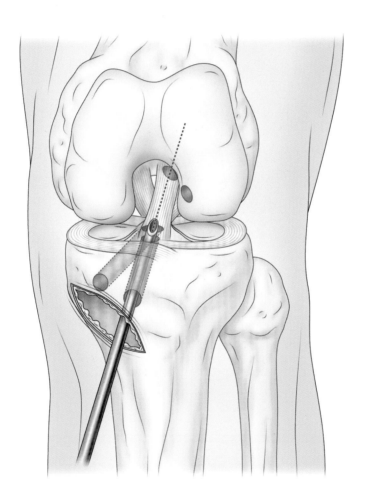 📷 12 . AMB의 대퇴골터널 제작에 맞춰 제작된 오프셋 가이드[Transtibial Femoral ACL Drill Guide (Arthrex)]를 경골 AMB 터널에서 삽입하여 잔여 조직 내부를 통과시켜 관절 내로 삽입하고 가이드의 끝부분을 과간절흔 외측 후연에 위치시킨다(1시 반 또는 10시 반, 📷 13a). 오프셋 가이드의 위치를 잔여 조직에 의해 확인할 수 없게 되는 경우도 있을 수 있기 때문에, 필요에 따라서는 X선 투시장치를 이용해 그 위치를 확인한다 📷 13b . 삽입 시에는 슬관절을 약 90~100° 굴곡 상태로 하고, K-wire를 대퇴골 전외측면을 향해서 삽입한다. 삽입된 K-wire를 가이드로 삼아서 4.5 mm 직경의 cannulated drill을 이용하여 대퇴골을 관통하는 터널을 제작한다. 터널의 길이를 depth gauge를 사용하여 관절경으로 확인하면서 계측한다.

📷 12 **대퇴골터널 제작**

경골터널로부터 시작해서 잔여 조직을 통과해 대퇴골터널을 제작한다.

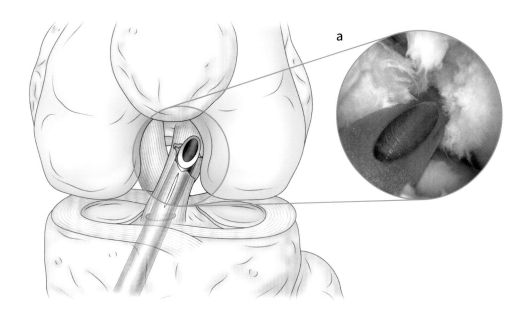

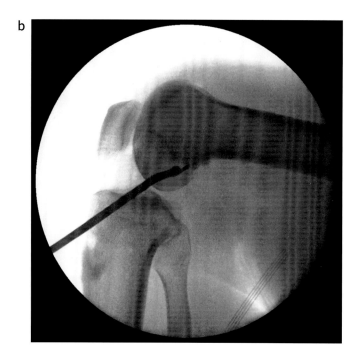

📷 13 AMB의 대퇴골터널 제작

a: 잔여 조직 내부 혹은 후방에서 오프셋 가
이드를 과간절흔의 외측 후연을 향하여
삽입한다. 잔여 조직이 대퇴골 외과의 내
측벽에 부착되어 있지 않은 경우에는 탐
색자로 젖히면 관찰이 가능하다.
b: 오프셋 가이드의 위치를 X선 투시장치로
확인한다.

다음으로는, 슬관절을 약 90° 굴곡위로 하고 전내측 삽입구에서 관절경으로 보면서 경골 PLB 터널에서 관절 내로 삽입한 K-wire를 대퇴과(femur condyle)와 경골 고평부(tibial plateau)와의 접점을 지나가는 가상의 수직선과, 난원형(oval shape)으로 부착된 ACL foot print의 장축(long axis)이 교차하는 점을 찾아서, 대퇴골 전외측면을 향해 삽입한다(그림 14a). K-wire 삽입 위치가 적절한지 여부가 불분명하다고 판단되는 경우에는 앞서 기술한 바와 마찬가지로 X선 투시장치를 이용하여 그 위치를 확인한다(그림 14b). 이렇게 삽입된 K-wire를 가이드로 하여 4.5 mm 직경의 cannulated drill을 이용하여 대퇴골을 관통하는 터널을 제작한다(그림 14c). 터널의 길이를 depth gauge를 이용하여 관절경을 통해서 계측한다(그림 14d).

그림 14 PLB의 대퇴터널 제작

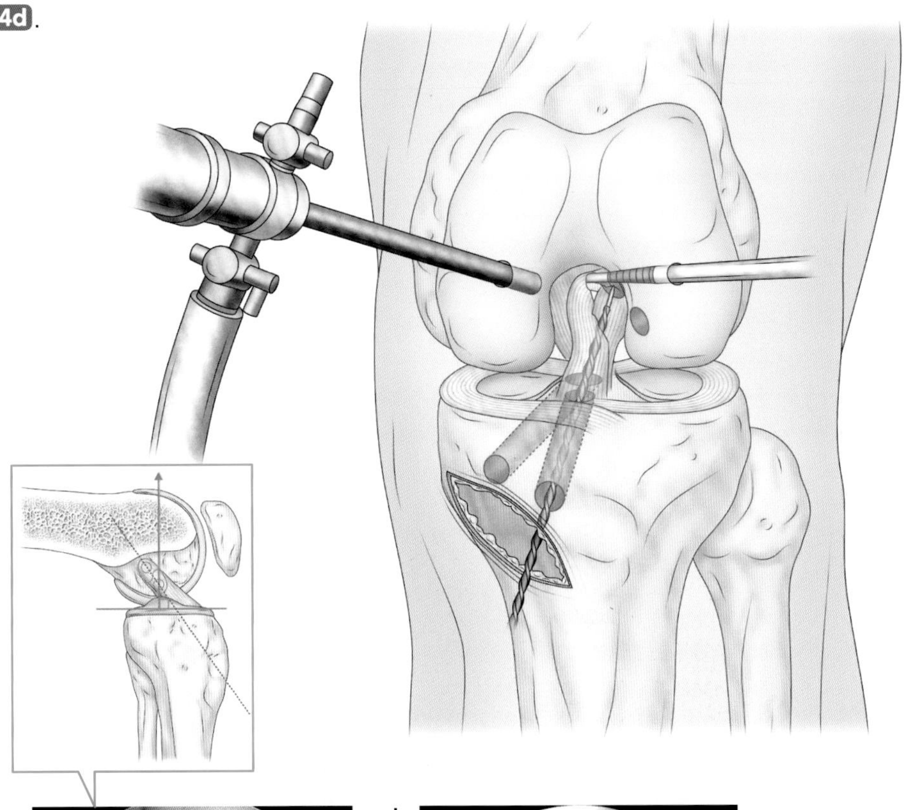

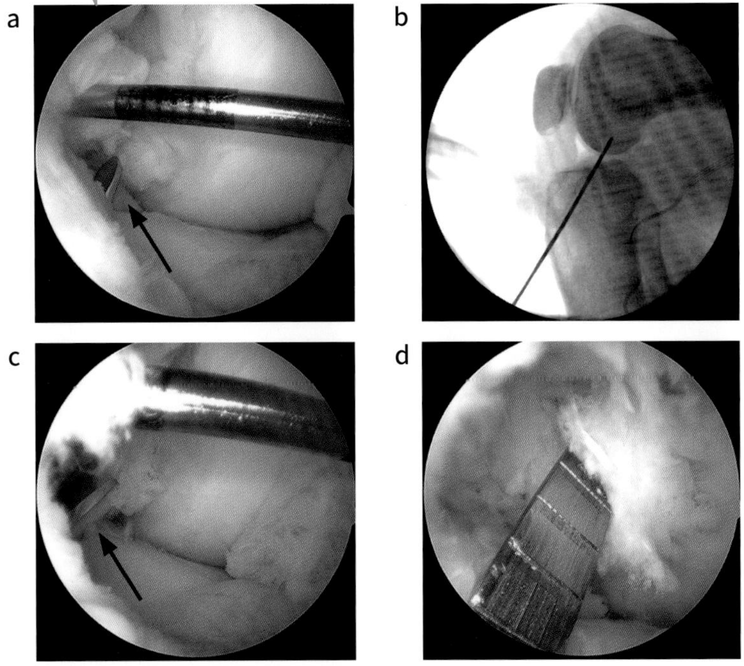

a: 전내측 삽입구로부터 관절경으로 확인하면서 PLB 부착부에 K-wire를 삽입
b: PLB 터널로 예상되는 위치를 X선 투시장치를 이용하여 확인
c: 4.5 mm cannulated drill로 드릴링을 실시(전내측 삽입구에 관절경을 둔다)
d: 터널 길이 측정

다시 K-wire를 양쪽 터널을 통과하도록 삽입하고, 이것을 가이드로 해서 Inside-Out용 드릴을 이용하여 길이 약 25~30 mm의 터널(이식용 소켓)을 관절 내에서 만든다 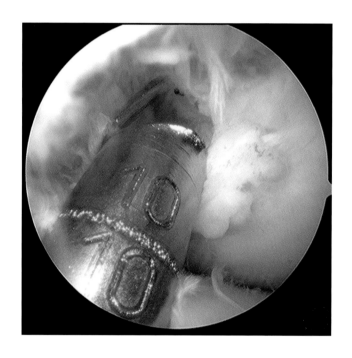15. 드릴링 시에는 잔여 조직이 말려들어가지 않도록 조심해서 조작한다.

코멘트 **NEXUS view** ///

대퇴터널의 융합(convergence)이 우려되는 경우, AMB-PLB 중심을 연결한 직선 상에서 PLB 터널을 중심선보다 약간 원위에 제작한다. 경경골술기(transtibial technique)로 대퇴터널의 제작이 어려운 경우에는 이에 구애받지 말고 far-anteromedial portal 술기 혹은 Outside-In 술기로 변경하여, 굳이 무리해서 잔여 조직을 보존하려고 하지 말고 통상적인 ACL 재건 술기를 실시한다.

15 이식건 소켓의 제작

5   이식건 고정

우선 PLB용 이식건을 진입시키고, 그 다음에 AMB용 이식건을 진입시킨다 📷16. 각각의 이식건이 잔여 조직으로 대부분 덮이게 된다 📷17. 환측 하지를 수술대 위로 올리고 슬관절을 10° 굴곡 정도로 둔다. 각각의 이식건 경골측에 연결시킨 mesh tape의 가장자리에 인대 재건술용 장력계를 부착하여 개별적으로 30 N의 장력을 2분간 가한 후 2개의 mesh tape를 동시에 2개의 스테이플로 고정한다 📷18.

> **주의!**   **NEXUS view**
>
> ENDOBUTTON® CL BTB 고정 장치의 양쪽 구멍에 걸어둔 실이 얽히거나, 실 혹은 ENDOBUTTON® CL BTB가 잔여 조직을 감고 올라갈 수 있으므로, ENDOBUTTON® passing pin을 통과시킬 때부터 이식건을 대퇴터널에 도입하는 것을 신중히 실시한다.

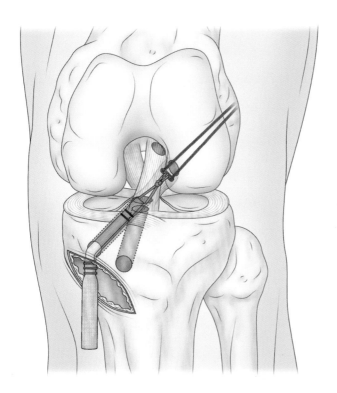

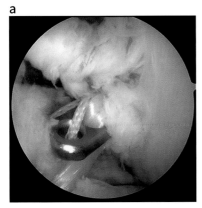

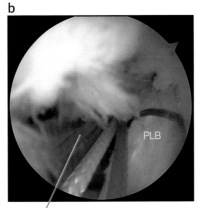

a

b

PLB

AMB 이식건의 리딩실

📷16 **이식건의 도입**

a: 프로브로 잔여 조직을 젖혀서 ENDOBUTTON® CL BTB를 장착한 PLB 이식건을 도입한다.

b: 이어서 AMB용 이식건을 도입한다.

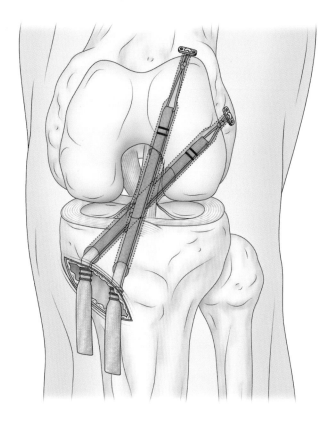

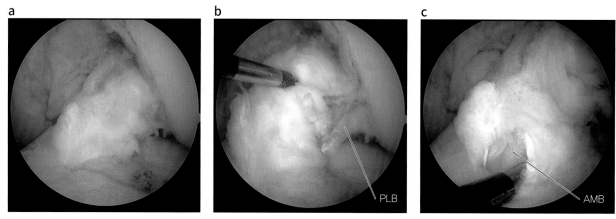

📷17 재건술 후 관절경 소견

a: 이식건들이 잔여 조직으로 대부분 덮여있다.
b: 프로브로 잔여 조직을 젖히면 PLB용 이식건을 확인할 수 있다.
c: 프로브로 잔여 조직을 젖히면 AMB용 이식건을 확인할 수 있다.

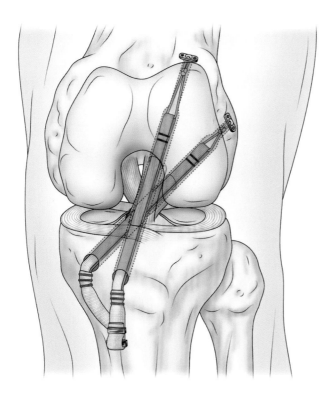

⒞18 **잔여 조직을 보존한 이중다발 ACL 재건술**

대퇴골 측은 ENDOBUTTON® CL BTB,
경골 측은 2개의 스테이플로 고정

6 창상봉합

관절 내부와 이식건 채취 부위, 경골터널 부위에 배액관을 두고, 관절경 삽입구의 위치로 드레인 배액관을 고정시킨 후에 약 3 cm의 수술 부위를 흡수사로 피하 봉합 후에 피부 접합용 테이프로 봉합한 후 수술을 마친다.

참고문헌

1) Yasuda K, Kondo E, Ichiyama H, et al. Anatomic reconstruction of the anteromedial and posterolateral bundles of the anterior cruciate ligament:using hamstring tendon grafts. Arthroscopy. 2004:20:1015-25.
2) Yasuda K, Kondo E, Kitamura N, et al. A pilot study of anatomic double-bundle anterior cruciate ligament reconstruction with ligament remnant tissue preservation. Arthroscopy. 2012:28:343-53.
3) 北村信人, 安田和則. 屈筋腱を用いた解剖学的二束前十字靱帯再建術. OS NOW Instruction 8 スポーツによる膝・足関節靱帯損傷の治療. 安田和則編. 東京 : メジカルビュー社 ; 2008. p61-72.
4) Kondo E, Yasuda K, Miyatake S, et al. Clinical comparison of two suspensory fixation devices for anatomic double-bundle anterior cruciate ligament reconstruction. Knee Surg Sports Traumatol Arthrosc. 2012:20:1261-7.

I. 전방십자인대(ACL)

Behind Remnant Approaches of ACLR

도쿄의과치과대학 대학원 의치학종합연구과 운동기외과학 **무네타 타케시(Takeshi Muneta)**

Introduction

전방십자인대(anterior cruciate ligament; ACL) 손상은 재건술(일본에서는 대부분 자가건 이식술)을 필요로 하는 대표적인 슬관절의 스포츠 외상이다. 무릎에 대한 해부학적 이해와 술식의 발전에 의해 수술 후의 무릎 안정성과 관련하여서는 과거보다 나아졌다고 할 수 있지만, 수술 후 운동선수들의 스포츠 현장으로의 복귀 등의 문제점에 대한 해결은 아직 불충분하다. 평가의 객관성이나 스포츠 복귀를 목표로 하는 patient-reported outcome을 통한 평가, 회전 불안정성에 대한 객관적 평가법의 개발 · 보급 및 현재나 향후에도 중요하다. 이와 더불어 수술 후 재손상이나 반대측 손상의 예방률 또한 개선해야 할 큰 과제이다.

수술 전 고려 사항

● 적응증과 금기증

ACL 재건술의 적응증은 ACL 손상이 병력상에서(history taking) 혹은 이학적 검사나 MRI 상에서 명확하고, ACL 손상을 방치함으로써 반복되는 무릎 무력감(giving way)이나 활동 수준의 저하가 예상되는 환자 중 수술적 치료에 대한 이해도가 높아서 수술 후 일정 기간 재활치료에 열심히 임할 수 있는 환자가 대상이 된다.

금기는 전신적, 국소적, 기타 사회적 상태로 인해 수술 후 재활치료를 포함하여 수술요법의 효과가 기대보다 낮다고 판단되는 예이다. 합병손상의 판별과 치료법 검토(구체적인 수술 도구 결정 등을 포함)를 수술 전에 충분히 준비하는 것이 중요하다. 반월판 합병손상이나 ACL 손상 후의 관절염 변화가 뚜렷한 예에서 ACL 재건술은 전체적인 치료의 일부에 지나지 않는다는 것을 이해시키고 장기간의 치료나 경과 관찰의 필요성을 강조한다. 부상당한지 얼마 되지 않은 초기 사례에서는 관절가동범위(ROM)의 회복과 관절염 증상의 제어, 대퇴사두근의 세팅(quadriceps femoris muscle setting exercise)이 양호해지도록 하는 것이 통상적으로 필요하다.

스포츠 종목에 따라서 수술방법이 바뀌는 경우는 기본적으로 없지만 종목별로 위험성 및 복귀에 대한 주의점은 존재한다.

● 마취

전신마취, 요추마취 모두 가능하며, 저자는 대다수의 사례에서 요추마취하에 시행하고 있다. 다만, 반월판 등의 합병수술에 장시간이 소요되어, 수술 시간이 3시간을 초과될 것으로 예상되는 경우에는 전신마취를 선택한다.

● 수술 체위

앙와위에서 환측으로 수술대를 기울여서(tilt), 환측 하지를 수술대에서 바깥쪽으로 떨어뜨리는 하수위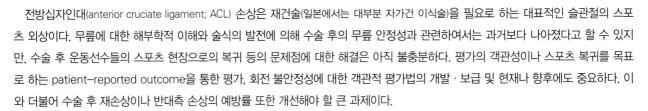 1a 와 다리를 수술대에 올려놓는 cross-over leg 1b 로 진행한다. 환측에 골반 지지대를 놓으면 체중이 많이 나가는 환자도 환지가 잘 어긋나지 않기 때문에 편리하다. 미리 환측의 대퇴 근위에 지혈대를 감아 두지만, 보통 수술 중에 지혈대를 사용하는 일은 적은 편이다.

수술 진행

1. 반건양건(ST) 채취
2. 진단적 관절경
3. 대퇴골터널 제작
4. 경골터널 제작
5. 이식건 제작
   2 ~ 4 와 동시에 시행
6. 이식건의 관절 내 진입
7. 이식건 고정
8. 수술 후 재활

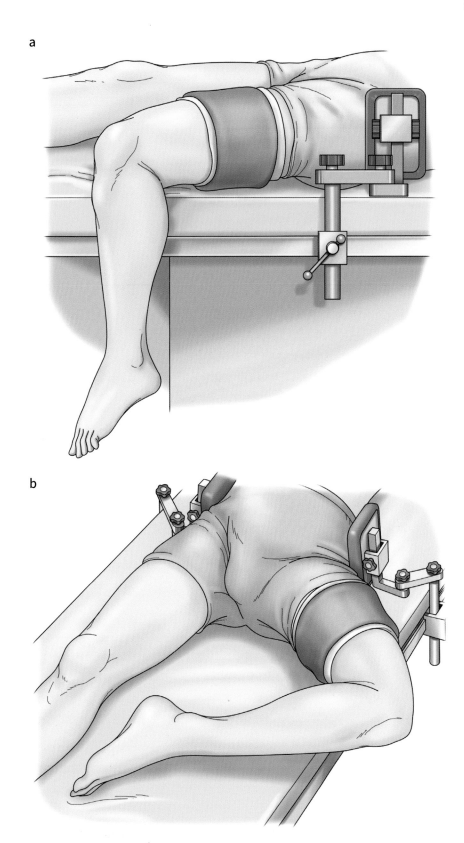

a

b

 수술 체위

a: 하수위
b: Cross-over leg

Fast **C**heck ❶ 합병손상의 판별과 치료법 검토(필요한 수술도구 포함)를 수술 전에 충분히 준비한다.

❷ FAM portal technique (Transportal법)과 Outside-In technique의 차이를 이해하고, 상황에 따라 구분하여 사용하도록 한다.

❸ 수술 후 재활치료는 수술 전부터 시작된다. 환자의 체질·성격을 미리 판별하여 지도하는 것이 필요하다.

수술 술기

1 반건양건(ST) 채취

   피부 절개방법이나 반건양건(ST) 채취 방식에 대해서는 과거로부터 변천을 거듭하여, 현재 저자는 수술 후의 피부신경 손상 등을 줄이기 위해, 길이는 약 3 cm로 경골 근위에서 내측에서 외측 원위로 기울어지는 경사(oblique) 절개를 사용하고 있다 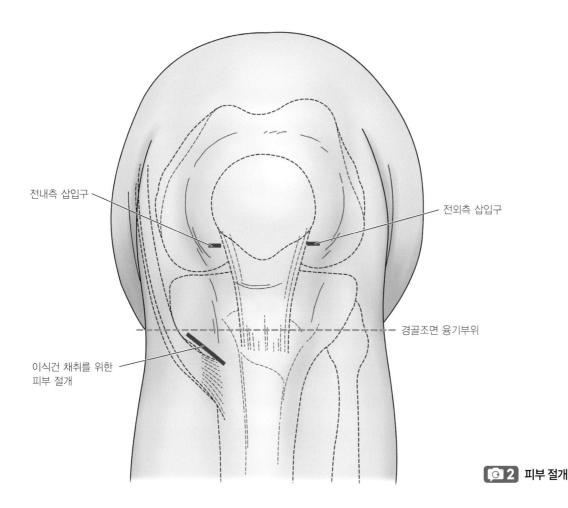 ⓒ2 . 경골 근위의 내측 피부 절개부위 시작점은 경골조면 레벨에 맞춘다. 피부 절개를 하고 나서는 봉공근막까지 피하 전개를 행한다. 거위발건의 상단을 찾아내고, 가급적 외측에서 봉공근 부착부를 세로로 절개하고, 그 심부를 주행하고 있는 박건, 반건양건을 겸자로 걸어서 분리해둔다 ⓒ3a . 양쪽 이식건 주위를 elevator 등으로 박리하면서 박건의 원위 심층에 존재하는 반건양건을 확실하게 분리한다. 반건양건을 겸자로 잡고 원위로 잡아당기면서 주로 비복근막에 연결되어 있는 보조건(accessory tendon)을 프로브나 손가락 등으로 절개하면서 박리한다. 일반적으로 1~3개 정도의 보조건이 다른 근막 등에 연속하게 이어진다. 무릎을 더 깊게 굴곡시키면 보다 근위 부위까지의 건과 주위 조직 간의 유착이나 근이행 부위의 상태를 손가락으로 촉지할 수 있다. 이 상태에서 근건 이행부의 근육을 elevator나 손가락으로 가능한 한 잘 박리해 둔다. 건 박리기(tendon stripper)는 open loop type을 이용하고 있는데, 슬관절 굴곡 70° 상태에서 부드럽게 박리기의 끝부분이 슬와부 5 cm 근위까지 진행된다면 그보다 근위로의 이식건 박리는 대부분 안전하며, 충분한 길이의 반건양건(22 cm 이상)을 채취할 수 있다 ⓒ3b .

전내측 삽입구

전외측 삽입구

경골조면 융기부위

이식건 채취를 위한
피부 절개

ⓒ2 피부 절개

코멘트 **NEXUS view** ///

이식건의 박리가 너무 쉽게 이루어졌을 때는 간혹 박건을 반건양건으로 오인한 경우일 수도 있으므로 반건양건이 심층에 아직 남아 있는지 확인해 볼 필요가 있다. 특히 이식건이 굵은 경우에는 주의가 필요하다. 근건 이행부의 근박리가 중요한데, 손가락 이외의 도구로는 박리하기 어렵다. 슬와부에서 이식건 바로 위에 작은 피부 절개를 추가로 가해서 반건양건 채취를 확실하게 하는 것도 고려할 수 있다.

a   b

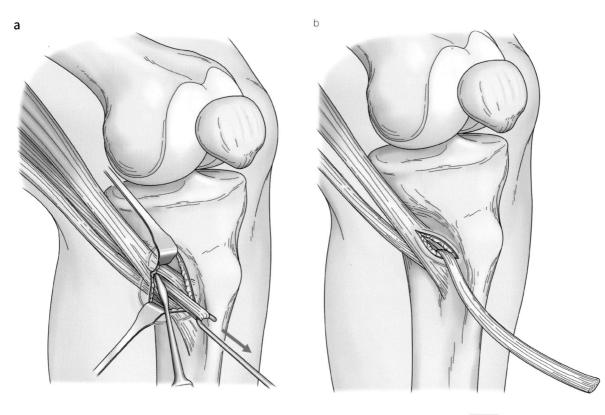

◎3 **반건양건 채취**

2 진단적 관절경

통상적으로 전외측(AL), 전내측(AM)의 2개의 삽입구에서 30° 관절경을 이용하여 일정한 순서로 관절 전체를 관찰한다. 슬개-대퇴, 내·외측 대퇴-경골관절면의 연골 상태를 ICRS (International Cartilage Research Society) 평가표에 따라 프로빙을 하면서 평가한다. 반월판 손상을 확인할 때는 내외측 모두에서 특히 후각(posterior horn) 손상의 평가가 중요하다. 특히 수상 후 수술까지의 기간이 길고, 반복적으로 무릎 무력감(giving way)을 경험한 예에서는 주의한다.

손상된 ACL도 그 잔여량(remnant)을 확인하고, 이때 손상평가를 behind-remnant (BR) approach를 통해서 일정한 기준[1]으로 실시하고 있다. 기존의 수술 방식이 과간절흔의 전방에서 ACL 부착부를 관찰했다면, BR approach는 과간절흔 후방에서, 전방을 관찰해서 ACL 부착부를 확인한다는 것이 차이점이다. 근위, 중앙, 원위로 부착부를 세 부분으로 나누고, 각 부착부의 잔여량과 섬유성 부착부 (fibrous part integrity), 활막염(synovitis)을 더해서 5가지 항목을 0점(poor)에서 2점(good) 사이로 측정하여 총 10점 만점으로 점수화한다 📷4.

코멘트 NEXUS view

출혈이 많은 경우, 내측부터 관절경검사를 시작하는 것이 수술시야가 빨리 확보된다. 시야를 방해하는 증식된 활막은 쉐이버나 포셉으로 가급적 제거한다. 수술 후 섬유화나 통증의 원인이 될 수 있는 지방조직을 절제하지 않도록 주의한다.

반월판 혈행의 손상은 술 후 이완을 남겨서 치유되는 경우가 있으므로 주의가 필요하다. 프로빙으로 이완과 손상범위를 평가한다. BR approach로 관찰을 하면 무릎의 정상 시 ACL 부착부가 어떠했는지를 상상하기 쉽다.

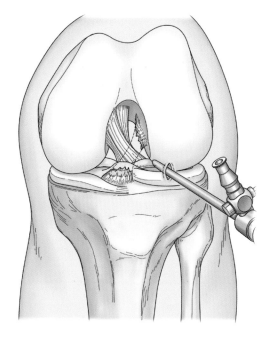

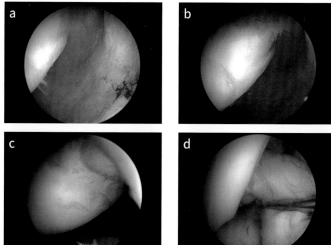

📷4 BR approach로 관찰한 ACL 잔여 조직

잔여 조직의 관찰
a: 근위
b: 중앙
c: 원위
d: 전면(frontal)

3 대퇴골터널 제작

잔여 ACL의 대퇴골 부착부위를 관절면 방향에서 확인하면서 대퇴골터널을 만드는 behind-remnant (BR) approach를 2012년부터 시작하였다. 이는 궁극적인 잔여 조직 보존 ACL 재건법으로 개개인의 해부학적 상태에 맞춘 대퇴골터널 형성법[2]이다. BR approach를 FAM portal technique (transportal법; TP법), Outside-In technique과 비교하여 공통점과 차이점을 분류해보고자 한다. 대퇴골터널 제작은 cross-over leg로 진행하고, 관절경은 기본적으로 FAM portal technique부터 실시한다. 경경골술기(transtibial technique; transtibial법)는 잔여 조직을 보존하기에 난이도가 높으므로 여기에서는 취급하지 않는다.

Step 1: FAM portal technique (transportal법; TP법)

Transportal법에서는 우선 spinal needle을 전내측 삽입구의 내측 원위에서부터 삽입하여 잔여 조직이나 후방십자인대(posterior cruciate ligament; PCL)와의 위치 관계, 그리고 연장선상에서의 과간절흔 외측벽의 위치가 적절한지를 확인해서 far-anteromedial (FAM) 삽입구를 제작한다. 삽입구 주위의 활막을 절제하거나, 겸자를 통과시켜가면서 삽입구와 관절 간의 소통을 양호하게 만든다.

FAM 삽입구로부터 우선 후외측 다발(posterolateral bundle; PLB)용 와이어를 삽입한다. 굴곡 90°로 두고 부착부를 확인하는데, 잔여 조직(remnant tissue) 부착부의 원위단(distal margin) 및 direct insertion의 후방 경계(posterior border)에 터널을 뚫었을 때 부착부에 일치하게 만든다. 수술 전과 후의 터널 위치를 분석해보면 수술 후에 터널이 전방으로 이동되는 경향[3]이 있으므로, 정상 실질부가 부착하는 부위보다 약간 후방으로 와이어를 찔러 넣는다 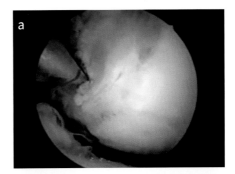. 와이어의 끝을 고정한 후에 굴곡시켜보면서 개구부(opening)가 너무 원위가 되지 않도록 적절한 굴곡위에서 가이드와이어를 대퇴골 외측으로 찔러 넣는다. 보통 120° 정도이다. 이 상태에서 4.5 mm 직경의 유관 확공기로 대퇴골 외측까지 터널을 뚫는다. 터널 위치를 유실하지 않도록 유의하면서 FAM 삽입구에서 눈금 있는 프로브로 PLB 대퇴골 터널 길이를 계측한다 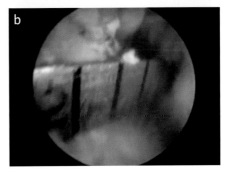.

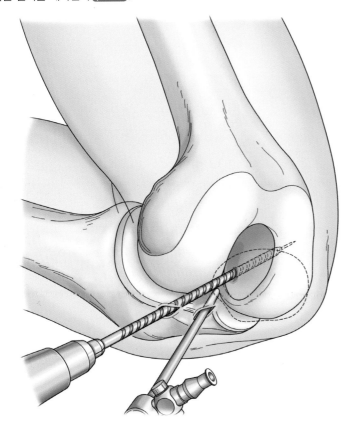

📷 **5** 대퇴골터널 형성(TP법) ①

a: FAM PL용 가이드
b: 프로브

BR approach를 통해서 과간절흔 후방에서 근위 전방을 관찰하면 ACL 근위의 부착부를 확인할 수 있다. Tip 부분이 원형인 Outside-In 가이드를 retractor처럼 사용하면, 전내측다발(anteromedial bundle; AMB) 가이드와이어의 삽입이 쉬워진다 ⬛6.

전내측 가이드와이어는 정상 전내측다발의 부착부 약간 근위로 향하게 하되, 후방으로 향하지 않도록 유의한다. 적절한 진입 부위에 와이어의 tip이 삽입되었다면, 그대로 와이어의 tip이 어긋나지 않도록 유의하면서 무릎을 굴곡시켜 나가면서 적절한 위치를 찾는다. 후외측 터널과 마찬가지로 4.5 mm 지름의 cannulated drill로 대퇴골 외측까지 터널을 만들고, 눈금 있는 프로브로 전내측 터널의 길이를 계측한다 ⬛7. 와이어의 진입 부위는 슬관절 굴곡 90°에서 확인한 후에 대퇴골터널 출구가 적절히 위치하도록 굴곡 각도를 최대한 조절한 후 와이어를 대퇴골 외측으로 뽑아낸다. 135° 이상 굴곡하는 것이 바람직하다.

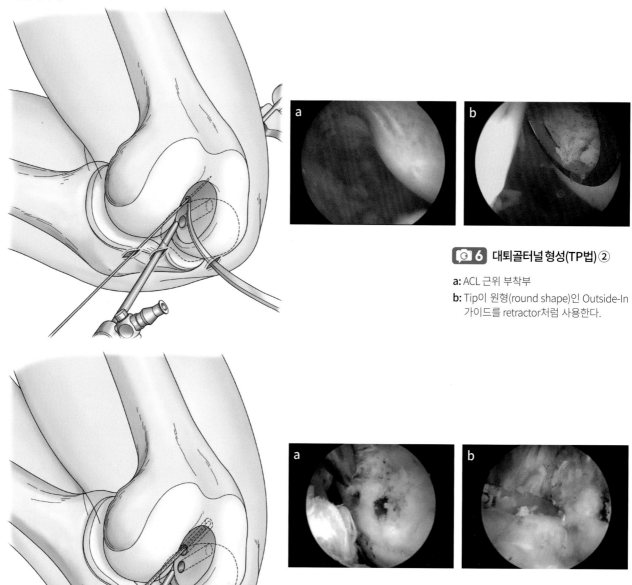

⬛6 대퇴골터널 형성(TP법) ②

a: ACL 근위 부착부
b: Tip이 원형(round shape)인 Outside-In 가이드를 retractor처럼 사용한다.

⬛7 대퇴골터널 형성(TP법) ③

a: FAM AM용 가이드
b: 프로브

터널 확장기(dilator)를 이용하여 터널을 원하는 방향으로 확대한다. 이때 90° 굴곡 상태에서 터널의
위치를 확인하면서 확장기 끝을 삽입하면 쉽다. 5.5 mm 이상의 터널의 경우에는 경골터널에 편심성
으로 1.5mm 직경의 돌출이 부착된 터널 확장기를 이용하여 터널을 필요한 방향으로 확대한다 📷8.
5.5 mm의 경우에는 그대로 찔러 넣고, 6 mm의 경우에는 90° 회전, 6.5 mm는 180° 회전시켜 터널의
직경을 이식건에 맞춘다 📷9.

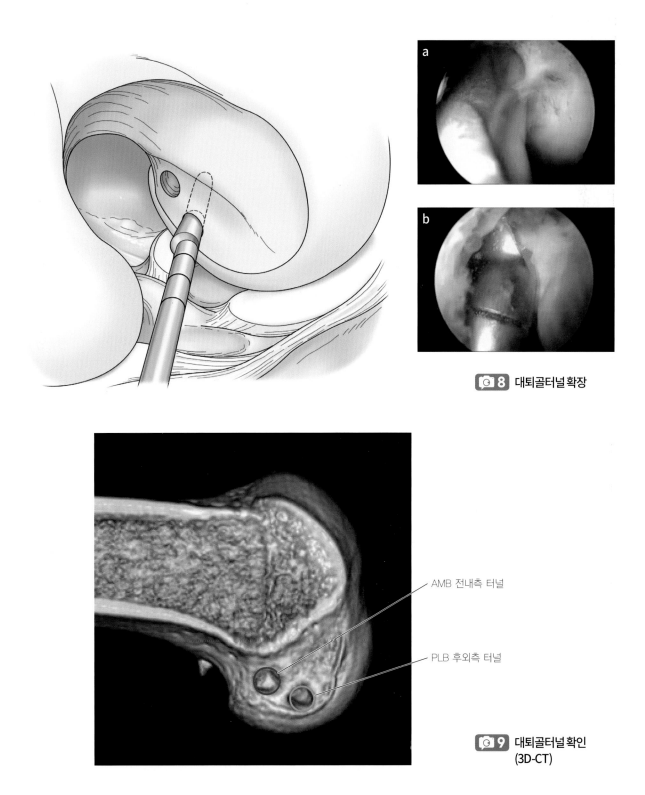

📷8 대퇴골터널 확장

AMB 전내측 터널

PLB 후외측 터널

📷9 대퇴골터널 확인
(3D-CT)

Step 2: Outside-In technique (Outside-In법; 이법)

　Outside-In법에서도 후외측 대퇴터널 가이드와이어부터 관절 내로 진입한다. 전내측 터널의 제작도 마찬가지로 실시하되, 외측 피질의 진입부위를 후외측 터널보다 약간 근위 중앙쪽으로 선택한다. 전내측 터널의 중심은 다른 방법과 마찬가지로 후방에 지나치게 치우치지 않도록 한다.

　전외측 삽입구로부터 Outside-In용 가이드와이어를 삽입하여 그 tip을 후외측·전내측 터널의 중심에 맞춘다. 고정 위치가 어긋나지 않도록 대퇴 원위 외측 근육 내에 버튼이 고정되도록 관절 밖에서 가이드의 각도와 위치를 조정하여 위치 조정이 끝나면 메스로 대퇴측에 피부 절개를 가하고 가이드와이어의 슬리브 끝을 집어 넣어서 대퇴골 외측에 고정한다. 슬리브 중앙에 가이드와이어를 삽입하여 과간와 외측벽, 예정된 후외측·전내측 터널의 중앙에 가이드와이어의 tip이 보이면, 그 위치가 적절한지를 무릎 90° 굴곡위에서 확인한다. 확인되면 가이드와이어의 위치가 어긋나지 않도록 전외측 삽입구에서 hemostat를 삽입하여 tip을 잡고, 외측에서부터 후외측으로 별도의 슬리브를 고정한다(🎥10, 🎥11). 4 mm 직경 내지 4.5 mm 직경 유관 확공기로 대퇴 외측에서 관절 내에 터널을 제작한다. 여기에 대퇴골 외측에서 이식건의 직경에 맞는 Flip Cutter® (Arthrex)를 삽입하여 터널 내에 삽입하는 이식건의 길이에 따라 20~25 mm 길이의 대퇴골터널을 제작한다.

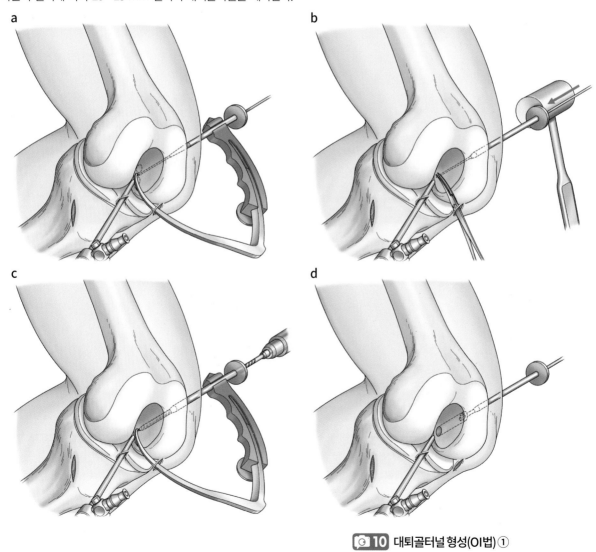

a　　　　　　　　　　　　　b

c　　　　　　　　　　　　　d

🎥10 대퇴골터널 형성(이법)①

a: 후외측 터널 가이드와이어 삽입
b: 가이드와이어를 관절 내 고정시키고 후외측 터널 제작용 슬리브를 해머로 두드리면서 삽입
c, d: 4.5 mm 직경 cannulated drill로 후외측 터널 제작

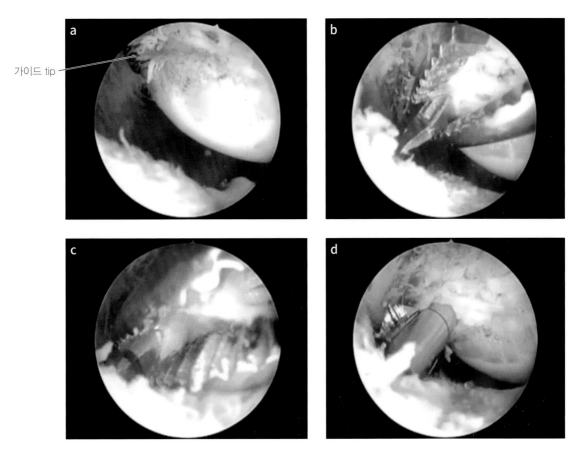

가이드 tip

11 대퇴골터널 형성(이법) ②

a: 전내측 터널 제작 드릴 가이드
b: 전내측 가이드와이어를 삽입하고 hemostat로 파지把持
c: Hemostat에 의한 파지와 4.5 mm 직경 드릴로 터널 제작
d: Flip Cutter®로 대퇴골터널(소켓) 제작

4 경골터널 제작

경골터널 제작은 TP법, 이법 두 가지 모두 over-the-top 방향을 확인한 후에, 드릴 가이드를 전내측은 60°, 후외측은 50°로 설정하고 2개의 가이드와이어를 정면에서 25°의 각도를 이루어 측면에서 평행하게 삽입한다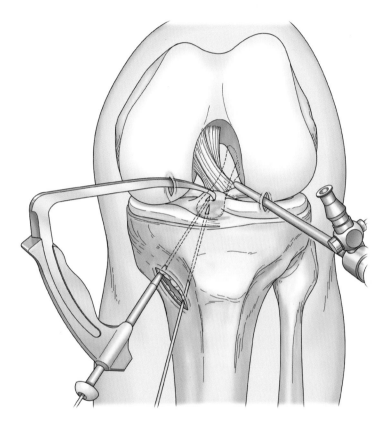12. 전내측 경골터널의 방향은 잔여 ACL 내부를 지나가며 기존의 ACL의 축보다는 약간 수직 방향으로 한다. 후외측 경골터널은 잔여 ACL 속을 통과하며, 그 내측에 터널이 뚫리도록 한다.

a
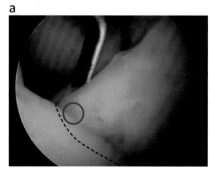

b
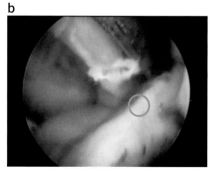

📷12 경골터널 제작

a: AM (◯은 가이드 tip)
b: PM (◯은 드릴 tip)

TP법이나 이법 모두, 후외측 가이드와이어의 진입 방향이 경골축에 대하여 Transtibial법보다 수직이 되므로, 후외측의 충돌(impingement)은 적어질 것으로 생각되지만, 과간절흔 외측벽에 의해 일어날 수 있는 후외측의 충돌을 피하기 위해서, 관절 내부에 4.5 mm 직경의 cannulated dril로 터널을 제작하고 나서는, 줄질(rasping)을 통해 내부에서부터 터널 개구부를 확대한다 13.

경골 가이드와이어의 방향성을 제대로 하기 위해서 전내측 삽입구로 과간절흔 후방, 굴곡 상태에서 상외측의 over-the-top 방향에 와이어를 둔다. 전내측 이식건(AMB)용 터널 방향이 정상 ACL과 어긋나지 않도록 와이어의 방향을 확인한다 14.

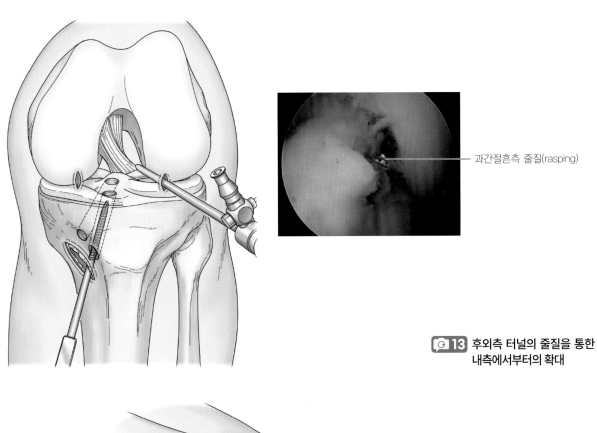

과간절흔측 줄질(rasping)

13 후외측 터널의 줄질을 통한 내측에서부터의 확대

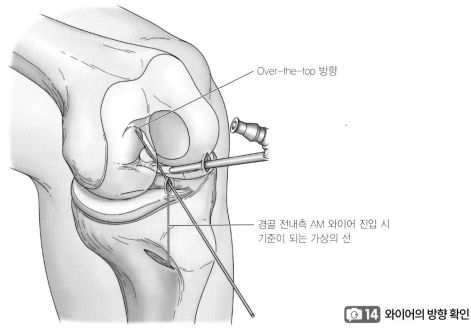

Over-the-top 방향

경골 전내측 AM 와이어 진입 시 기준이 되는 가상의 선

14 와이어의 방향 확인

5 이식건 제작(2 ~ 4 와 동시에 시행)

　이식건 제작의 기본은 약 24 cm 길이의 반건양건을 12 cm로 이등분하고 GRAFT MASTER® (Abbott)를 사용하여 제작한다. 이등분된 각각의 반건양건을 다시 반으로 접어서 닫혀있는(closed) 대퇴골 측 부분의 이식건의 지름을 전용 계측기로 계측하고 접힌 부분에 실을 걸어 견인해둔다. 열린 부위의 끝부분을 디바이스로 잡고, 2–0 strong suture를 Krackow법으로 이식건의 양측을 닫듯이 한쪽 끝에서 반대쪽으로 돌아가도록 3회 실을 건다. 두 번째도 마찬가지로 Krackow법으로 이식건의 열린 양쪽을 닫히게 봉합한다. 마지막으로 또 하나의 실을 Kessler법으로 갔다가 돌아오도록 양쪽에 실을 건다 **15**.

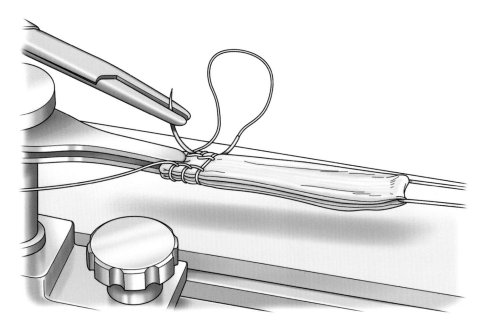

15 GRAFTMASTER®를 사용하여 이식건을 제작한다.

Column

◆과간절흔성형술(notchplasty)의 의미

　해부학적 이중다발 ACL 재건술에서 과간절흔성형술의 임상적 의미에 대해 코호트 연구를 실시한 결과, 루틴하게 2 mm 과간절흔성형술을 실시한 군에서 신전 제한, 신전 시 통증이 많고, 신전 제한을 개선하기 위해서 2차적인 관절경하 처치를 실시한 예가 많았다. 한편, KT-1000 Knee Ligament ARTHROMETER (MEDmetric)에 측정한 전방 동요는 과간절흔성형 군에서 유의하게 작았다. 이러한 결과들은 과간절흔성형에 의해 수술 후 출혈이 증가하면서 치유 촉진이 일어나고 과간절흔성형에 의한 관절 내 공간이 생겨서 활막 증식이 강하게 일어난 것이 원인으로 생각된다. 또한 치유의 촉진으로 이식건의 제동성이 증가했을 가능성도 생각할 수 있다. 향후 과간절흔성형술 시행에 관해서는 증례별 검토가 필요할 가능성이 있다. 현재로서는 해부학적 ACL 재건술에서 과간절흔성형술의 의미가 있다 혹은 필요가 없다는 식으로 간단하게 결론을 내릴 수가 없다.

6 이식건의 관절 내 진입

이식건 삽입용 실은 #5 TefdesserII (polyester 봉합사)로 흰실과 녹색실, 2색을 각각 후외측, 전내측 삽입에 사용하였다.

TP법에서는 먼저 FAM 삽입구에서 대퇴골의 전외측 터널에 패싱핀을 통과시켜 대퇴골 외측 피질에 위치한 개구부에 실을 꺼내고, 겸자로 고정시킨다. 후외측 경골터널에서 겸자를 이용해 관절 내부에 위치한 실을 잡고 경골터널 원위 개구부로 끌어낸다. 마찬가지로 FAM 삽입구로부터 대퇴골 전내측 터널에 실을 내고, 경골 전내측 터널을 통해서 관절 밖으로 끌어낸다 📷16.

a

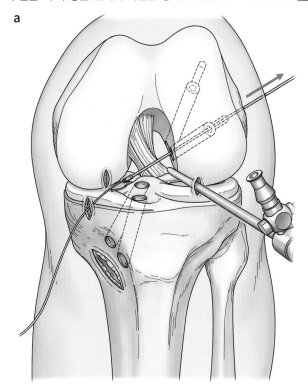

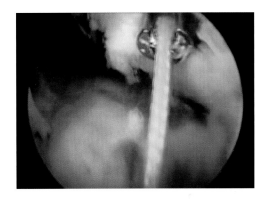

b

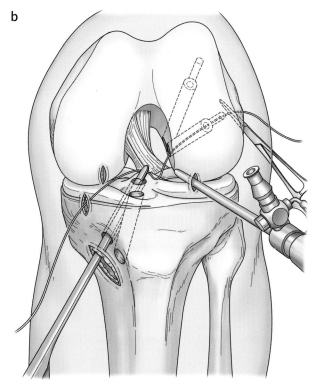

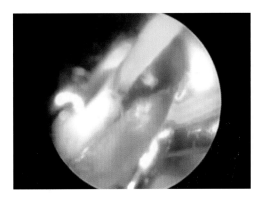

📷16 TP법에서 이식건 리딩실의 릴레이(후외측 터널)

a: FAM 삽입구에서 대퇴골터널로 패싱핀을 통해 리딩실을 통과시킨다.
b: 후외측 경골터널에서 작은 겸자로 리드사를 짚어낸다.

이법에서는 대퇴골터널을 제작한 시점에서, 각각 suture retriever 끝에 실을 걸어두고 관절 내로 통해서, 전외측 삽입구에서 경골터널 원위 개구부로 끌어낸다. 또한 TP법과 마찬가지로 경골터널로 각 각의 실을 관절 밖으로 끌어낸다 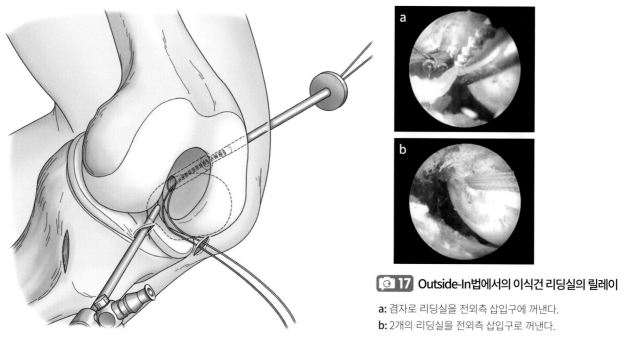. 이때 한번 전외측 삽입구로부터 관절 밖으로 꺼낸 실을 전내 측 삽입구로 다시 뽑아두는 편이 경골터널로부터 꺼내는 것이 용이해진다.

이러한 조작 중 겸자로 관절 밖으로 꺼내기 쉽도록 전외측 삽입구에서 프로브를 삽입해서 조작 을 해보는 것도 가능하다. 또 후외측의 흰 실이 전내측의 녹색 실의 후방을 지나고 있는 것을 확인한다 .

17 Outside-In법에서의 이식건 리딩실의 릴레이

a: 겸자로 리딩실을 전외측 삽입구에 꺼낸다.
b: 2개의 리딩실을 전외측 삽입구로 꺼낸다.

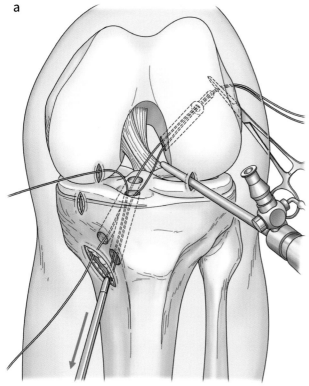

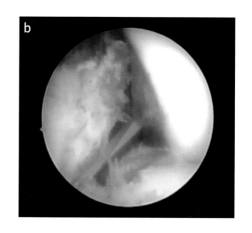

18 이식건의 진입

a: 경골터널에서 실을 겸자로 주위 경골터널로 꺼낸다
(PL에서 먼저, 이어서 AM사를 꺼낸다).
b: 대퇴골터널에서 경골터널 통과하는 리딩실
(AM-녹색, PL-백색)

7 이식건 고정

슬와부에 받침대를 두고 무릎 20° 굴곡상태에서 전내측부터 고정하고 이어서 후외측을 고정한다. 초기 장력은 이식건 중앙의 단면적에 맞추어 6.5, 6, 5.5, 5 mm 직경인 경우에 각각 30, 25, 21, 17 N으로 하고 있다. 앵커 스테이플에다가 용수철로 일정한 장력을 주면서 pull-out 고정한다.

이식건 고정 후 관절경으로 관찰하면서 양쪽 이식건을 굴곡 30°마다 장력 변화, 양쪽 이식건의 장력 차이를 프로브에서 검토하고 기재한다. SE™ [Stress Equalization Graft Tensioning System (Linvatec)] 을 이용하면 이식건에 거는 초기 장력이 더 정량적으로 걸리게 된다 📷19 .

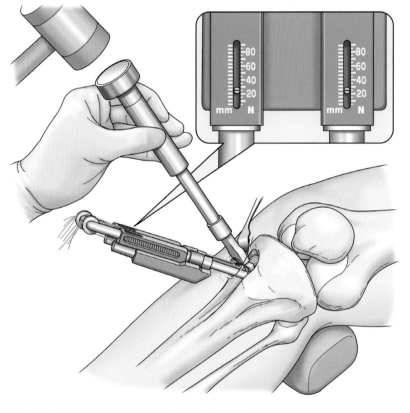

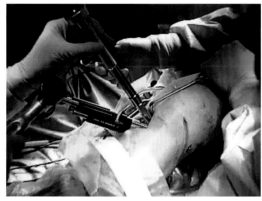
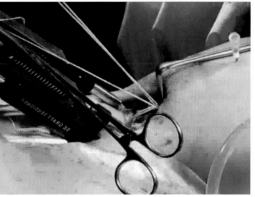

📷19 SE™ (Stress Equalization Graft Tensioning System)을 이용해서 이식건에 걸리는 초기장력을 설정하여 고정

◆초기 장력과 성적

이중다발 ACL 재건술에서 전내측 이식건과 후외측 이식건의 초기 장력과 임상성적 사이의 관계는 명확하지 않다. 이중다발 재건술이 시작된 후 초기에 시도된 방식은 두 개의 이식건에 균형적인 초기 장력을 거는 방식이었다. 결론적으로는 슬관절 경도 굴곡위에서 전내측 이식건과 후외측 이식건의 장력이 동일하도록 초기 장력을 설정한 군에서 가장 성적이 안정되었다. 한편 초기 장력을 서서히 낮추는 노력도 일부에서 시행하고 있다. 이식건 중앙의 단면적에 따라서 차별적으로 장력을 가해서 단계적으로 초기 장력을 떨어뜨리고 있지만, 수술 직후의 KT-1000 Knee Ligament ARTHROMETER®의 환측과 건측 차이를 보면 2~3 mm의 과제동으로 수렴된다. 저자의 경험으로는 과제동이 된 예는 이완이 빨리 나타나는 경향이 있다.

◆터널 위치와 장력패턴

BR법으로는 통상 실시해온 손상된 ACL을 전방에서 박리하는 술식(전방접근법)에서의 전내측 터널 위치보다 유의하게 근위 및 후방에 만들어지고 있다. 장력패턴으로서 전방접근법에서는 전내측 다발은 굴곡하면서 장력이 증가하고 후외측 다발은 굴곡 시 장력이 감소하는 reciprocal한 패턴을 나타낸 한편, BR법에서는 두 이식건 모두 굴곡하면서 장력이 감소하는 패턴을 나타냈다.

◆터널 위치와 성적 평가

BR법과 기존 방법과의 비교에서 BR법이 수술 후의 회전 동요성에 대한 억제력이 낮은 경향을 나타냈다. 전내측과 후외측의 장력패턴이 모두 굴곡으로 인해 감소하는 균일한 패턴을 나타내는 것이 오히려 바람직하지 않을 가능성이 있다. 전내측 터널에 대해서 BR법에서 잔여량이 많은 전내측 부착 부위를 너무 과하게 의식한 나머지 터널이 너무 후방이 되지 않도록 주의해야 할 것이다.

◆수술 후 관절염 제어

수술 후의 무릎 관절염 증상은 수술 후 초기에 부하가 크면 생기기 쉽다. 조기 관절염 치료가 수술 후 재활의 원활한 진행에 중요하다. 저자의 경험으로는 수술 후 3개월까지의 기간 동안 35%에서 내복약과 부착제를 처방하고 30%에서 히알루론산 관절내 또는 관절외 주사를 놓았다. 반월판 수술을 동반한 사례에서 유의하게 염증 증상이 나타났다.

◆수술 후 신전 제한 컨트롤

염증 증상의 제어와 별도로 수술 후 조기에 신전 제한을 초래한 증례에서는 하중을 정확하게 제어한다. 강제 신전 시에 통증 부분의 스트레칭을 실시한다. 특히 슬개골 원위부와 슬개건, 비복근 부위나 반막양근 부착부에 압통이 강한 예가 많다. 대퇴사두근의 세팅의 확립과 보행 형태의 정상화가 기본이 된다.

◆수술 후 통증이 가벼운 환자, 강한 환자

수술 후 1~2일에 통증이 심한 환자는 수술 후 훈련이 늦어진다. 하지만 통증이 있어도 세팅과 ROM 훈련, 자가 압통점 스트레칭은 중요하다. 한편, 수술 후 통증이 적고 무릎의 움직임이 과도하게 조속히 회복되는 경향이 있는 환자에서는 오히려 적극적인 ROM 훈련은 권하지 않으며, 오히려 보장구 장착을 6~8주로 길게 한다.

8 수술 후 재활

수술 후 재활치료는 수술 전부터 시작된다. 환자의 체질·성격을 미리 판별해 지도하는 것이 필요하다. 간단히 말하면, 수술 후의 노력도 중요하지만, ① 수술 후 재활훈련을 과하게 적극적으로 함으로써 보다 이른 스포츠 복귀를 기대하는 것은 결과적으로 위험할 수 있다는 것, ② 재활이 원활하게 진행되는 사례에서 보다 신중하게 재활 스텝을 올려야 한다는 것, ③ 경직된 무릎에서는 한층 더 ROM 훈련이나 통증의 컨트롤이 필요하다는 것, ④ 직장에 무리를 해서라도 돌아가지 않으면 안 되는 사례에서는 예방적인 보장구의 사용이나 COX-2 선택적 억제제의 내복을 권유할 것, ⑤ 구체적인 복귀 목표나 복귀 시기에 대해서 수시로 상담·확인할 것 등을 교육하는 것이 중요하다.

수술 후 소독한 면봉대를 족관절에서부터 대퇴 근위까지 감고, 그 위에 압박붕대를 감는다. 배액관은 두지 않는다.

수술 당일부터 마취가 깨어나서 족관절의 족저·족배 굴곡이 가능하게 되면, 족관절 운동을 개시한다. 1시간에 수 회씩 하게 교육한다. 수술 다음날부터 하지 거상 훈련과 대퇴 사두근 세팅을 개시한다. 5초 5회를 1세트로 하여 무리가 없는 범위에서 개시한다. 족관절 운동도 계속한다. 침대를 떠날 때는 신전 상태에서 무릎을 가볍게 고정하는 탈부착이 가능한 보장구를 장착한다. 양측 목발 보행은 허용한다. 하중량은 허용 범위에서 자유롭게 허가한다.

수술 후 2일에 수술 직후 드레싱을 제거한다. 능동적 자가 무릎 가동 범위 훈련을 시작한다.

수술 후 4일까지 대퇴사두근 세팅이 불량하면 슬와부에 주먹을 넣고 자기 피드백을 가하면서 연습한다. 신전 제한의 정도가 강하면 신전 시의 통증 요소를 해제하면서 신전을 진행시킨다. 구체적으로는 압통점 스트레칭*(역자 주; 무네타 교수가 제창한 슬개골을 중심으로 하는 TPI)이 유효하다.

수술 후 5일 이후, 양측 목발 보행·계단 승강 가능, 무릎 90° 이상 굴곡 가능, 신전 제한이 경도(3° 이하) 상태가 되면 퇴원한다.

참고문헌

1) Muneta T, Koga H, Nakamura T, et al. Behind-remnant arthroscopic observation and scoring of femoral attachment of injured anterior cruciate ligament. Knee Surg Sports Traumatol Arthrosc. 2015:DOI 10.1007/s00167-015-3574-z.
2) Muneta T, Koga H, Nakamura T, et al. A new behind-remnant approach for remnant-preserving double-bundle anterior cruciate ligament reconstruction compared with a standard approach. Knee Surg Sports Traumatol Arthrosc. 2014:DOI 10.1007/s00167-014-3300-2.
3) Araki D, Kuroda R, Matsumoto T, et al. Three-dimensional analysis of changes bone tunnel after anatomic double-bundle anterior cruciate ligament reconstruction using multidetector-row computed tomography. Am J Sports Med. 2014:42:2234-41.
4) Koga H, Muneta T, Yagishita K, et al. Effect of femoral tunnel position on graft tension curves and knee stability in anatomic double-bundle anterior cruciate ligament reconstruction. Knee Surg Sports Traumatol Arthrosc. 2014:22:2811-20.

I. 전방십자인대(ACL)

잔여 조직을 보존한 단일다발 전방십자인대 재건술

히로시마대학 대학원 의치약 보건학연구원 정형외과학 **나카마에 아쓰오(Atsuo Nakamae)**

히로시마대학 대학원 의치약 보건학연구원 정형외과학 **오치 미쓰오(Mitsuo Ochi)**

히로시마대학 대학원 의치약 보건학연구원 정형외과학 **아다치 노부오(Nobuo Adachi)**

Introduction

수술 전 고려 사항

● 적응증과 금기증

전방십자인대(anterior cruciate ligament; ACL) 파열 후의 잔여 조직(remnant)은 부상을 입은 시점에서 수개월 이내의 사례에서는 상당량이 잔존하고 있는 경우가 적지 않다. MRI나 3D-CT를 통해 대퇴골 과간부에서 경골까지 연속되는 ACL 잔여 조직이 확인되고, 경골의 전방 불안정성을 환측과 건측을 비교했을 때 차이가 5 mm 이내라면, 잔여 조직을 보존하는 ACL 재건술(보강술)[1-3]에 적응증이 된다. 그러나 최종적으로 술식을 판단하는 시점은 진단적 관절경을 통한 상태 평가가 완료된 후에 한다. 또한 이 술기는 통상적으로 시행되는 ACL 재건술에 대해서 충분히 정통한 후에 시행해야 한다.

● 마취

전신마취, 요추마취 모두에서 수술은 가능하다.

● 수술 체위

저자들은 하지 고정기를 사용하지 않고 수술대 위에서 모든 과정을 시행한다. 앙와위에서 측면 지지대(lateral bar)를 족부와 대퇴외측에 설치하고 슬관절을 90° 굴곡위로 만든다. 저자들은 환자를 앙와위로 하고, 측면 지지대를 족부와 대퇴외측에 설치하고 슬관절을 90° 굴곡위로 만든 상태에서 주로 수술을 시행하고 있다.

수술 진행

1. 삽입구 제작
2. 진단적 관절경
3. 대퇴골터널 제작 (전내측 다발 파열형)
4. 대퇴골터널 제작 (후외측 다발 파열형과 완전 파열형)
5. 경골터널 제작
6. 이식건 진입
7. 이식건 고정
8. 수술 후 재활

Fast Check

① 정확한 위치에 터널을 만드는 것이 가장 중요한 목표이며, 잔여 조직을 보존하는 것은 보조적인 목표이기 때문에 잔여 조직이 시야를 방해하여 정확한 터널 제작이 어렵다고 판단되면 주저하지 말고 잔여 조직을 절제하여 일반적 ACL 재건술로 수술 방식을 전환하도록 한다.

② 대퇴골터널은 드릴의 지름을 0.5 mm씩 크게 하면서 점층적으로 제작하는 방식으로 원하는 위치에 터널을 제작할 수가 있다. 만약 터널의 위치를 미세하게 수정하고자 한다면, 드릴 끝부분을 관절 내의 대퇴골터널 개구부에 두고, cannulated drill 내부에 위치한 패싱핀을 대퇴 외부에서 원하는 방향으로 조작을 한 상태로, 드릴을 삽입하면 원하는 위치에 제작할 수 있다.

수술 술기

1 삽입구 제작 📷1

슬개건의 바로 외측 가장자리에 전외측 삽입구를 제작한다. 이 삽입구에서 관절경으로 관찰하면서, 전내측 삽입구에 덧붙여 대퇴골터널 제작 시에도 사용하는 far anteromedial (FAM) 삽입구를 제작한다. FAM 삽입구 제작은 우선 슬개건 내측연에서 약 2.5 cm 내측으로 이동해서 spinal needle을 찔러 넣고 관절 내에서 needle tip을 ACL 대퇴골 부착부의 중심부근으로 맞춘다. 맞춘 상태에서 spinal needle과 대퇴골 내측과의 연골면과의 거리가 적절하게 유지되는지 관찰한다. 이 거리가 5 mm 이내가 되면 대퇴골터널 제작을 위해 드릴을 사용할 때 연골면을 손상시킬 위험이 있으므로, 연골면과의 거리가 7~8 mm가 되도록 안전한 위치로 수정해서 needle을 삽입한다. FAM 삽입구가 슬개건 내측 가장자리에 너무 가까워지면 대퇴골터널 길이가 짧아지거나 터널 관절 내 개구부(opening)가 커지면서 타원형이 되는 수가 있다. 또, spinal needle은 내측 반월판 전각의 바로 상연을 지나가도록 한다. 다시 말해 FAM 삽입구은 내측 반월판을 손상시키지 않는 범위에서 가능한 한 중심에서 멀어지는 말초에 위치하도록 한다. Needle의 방향을 관절경으로 참고하면서 메스로 FAM 삽입구를 제작한다. 관절경은 30°를 일반적으로 사용한다. 다만, 전외측 삽입구에서 관절경으로 관찰하면서 대퇴골터널 제작을 하려면 45°가 더 양호한 시야를 얻을 수 있다.

> 코멘트 **NEXUS view** ///
>
> 전외측 삽입구가 슬개건의 외측 가장자리에서 거리가 떨어진 곳에 위치하게 될수록 삽입구로부터 ACL의 대퇴골 부착부 관찰이 어려워진다.

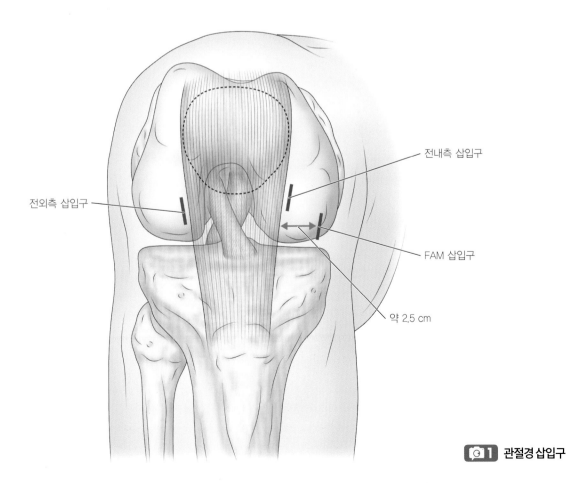

전내측 삽입구

전외측 삽입구

FAM 삽입구

약 2.5 cm

📷1 관절경 삽입구

2 진단적 관절경

    ACL 잔여 조직은 증례에 따라 다양한 형태를 나타낸다. 프로브를 이용하여 장력이나 잔여량의 확인하고, 무릎의 신전이나 내반 등 다양한 상태에서 관찰을 실시한다. ACL 잔여 조직은 관절경에서의 관찰되는 형태를 5가지 타입으로 분류[4]할 수 있으며 , 그 중 ACL 부분 파열에 해당되는 후외측 다발 파열형(Type 3)과 전내측 다발 파열형(Type 4), 또 완전 파열에 해당되지만 충분한 굵기의 잔여 조직이 과간절흔에 단단히 부착되어 있는 과간절흔 부착형(Type 2)이 잔여 조직을 보존하는 ACL 재건술(보강술)의 적응증이 된다. ACL 부분 파열을 진단하는 것은 최종적으로는 진단적 관절경검사로 판단하게 되지만, ① 수술 전 Lachman 검사에서 엔드 포인트가 단단하게(firm) 제대로 멈추는 것, ② 무릎 전방 불안정성이 건측과 환측의 차이가 5 mm 이내일 것, ③ MRI나 3D–CT로 과간절흔까지 이어지는 충분한 양의 ACL 잔여 조직을 확인할 수 있을 때, 부분 파열을 의심할 수 있다. ACL 잔여 조직이 PCL에 부착되어 있는 PCL 부착형(Type 1), 잔여 조직의 양이 정상 ACL의 1/3 이하인 잔여 조직 소실형(Type 5)에서는 본 술식이 적응되지 않는다.

> **코멘트 NEXUS view**
>
> 많은 증례에서 관절경으로 관찰되는 잔여 조직은, 이미 어느 정도 손상이 되어 있는 상태라는 것을 인지하고 있어야 한다.

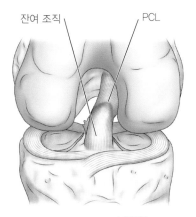

Type 1. PCL 부착형

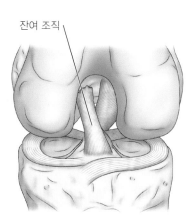

Type 2. 과간절흔 부착형

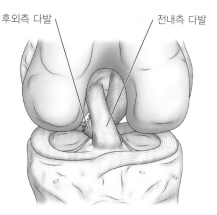

Type 3. 후외측 다발 파열형

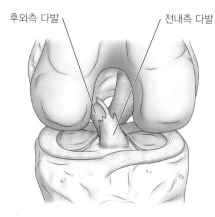

Type 4. 전내측 다발 파열형

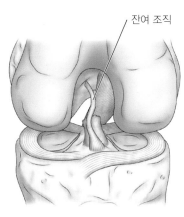

Type 5. 잔여 조직 소실형

📷2 ACL 잔여 조직 분류[4]

3 대퇴골터널 제작(전내측 다발 파열형)

전내측 다발이 파열되었지만, 후외측 다발은 본래의 대퇴골 부착부까지 이어져 있는 증례에 대한 방법이다. 터널 제작 예정 부위의 중심에 awl을 이용하여 마킹하되, 잔존하는 후외측 다발도 손상을 입은 경우가 많기 때문에 터널 제작 위치를 파열된 전내측 다발 부착부의 중심이 아니라, 잔여 조직을 손상하지 않는 범위에서 ACL 전체 다발의 부착부 중심 방향으로 이동시킨다 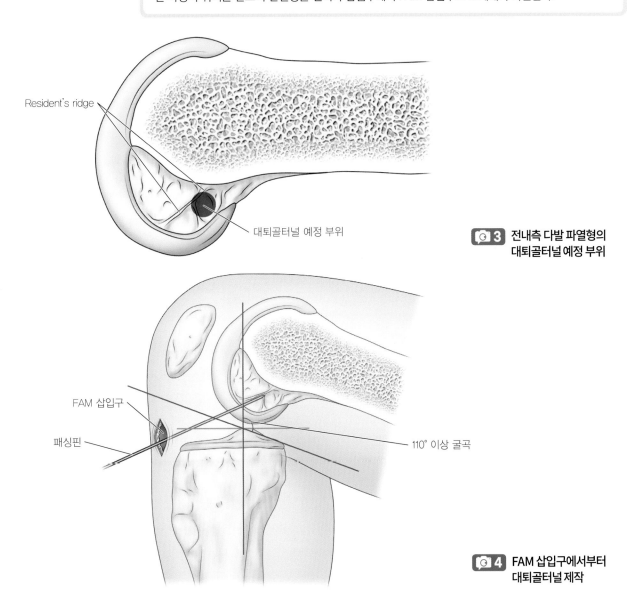3. FAM 삽입구에서부터 패싱핀을 넣고 그 끝을 awl로 만든 마킹 부위에 접촉시킨다. 그리고 무릎을 110° 이상 굴곡위로 한 후에 패싱핀을 관통시켜 대퇴골 외측 피부까지 관통시켜 나오게 하고 4, 4.5 mm 직경의 ENDOBUTTON® Drill (Smith & Nephew사)로 대퇴골의 외측 피질까지 관통하여 드릴링하고 터널 길이를 계측 후, 이식건 직경과 같은 직경의 대퇴골용 드릴로 필요한 길이(저자들은 이식건의 대퇴골터널 삽입 예정 길이 + 6 mm)만큼 오버드릴[5]한다.

> **코멘트** **NEXUS view**
>
> 잔여 조직이 손상되지 않도록 과간절흔 외측벽의 반흔이나 활막을 쉐이버 등으로 조심해서 절제해야 하지만, 과간절흔 외측벽의 후연은 반드시 보이게 해야 한다. 잔여 조직을 보존하게 되면 resident's ridge는 보이지 않으므로 외측벽 후연 가장자리의 커브가 터널 예정 부위를 결정하는 지표가 된다. 또한 마킹의 위치는 반드시 관절경을 전외측 삽입구에서 FAM 삽입구로 교체해서 확인한다.

Resident's ridge

대퇴골터널 예정 부위

3 전내측 다발 파열형의 대퇴골터널 예정 부위

FAM 삽입구

패싱핀

110° 이상 굴곡

4 FAM 삽입구에서부터 대퇴골터널 제작

4 대퇴골터널 제작(후외측 다발 파열형과 완전 파열형) 📷5, 📷6

　　후외측 다발 파열형(Type 3)이나 완전 파열된 과간절흔 부착형(Type 2)에서는 잔여 조직을 전방(관절경 시야에서는 상방)으로 피하면서 터널을 만든다 📷6. 후외측 다발 파열형 터널 제작 위치는 후외측 다발 부착부의 중심이 아니라, 잔여 조직을 손상하지 않는 범위에서 ACL 전체 부착부 중심 방향으로 이동시킨다 📷5. 완전 파열 예에서는 터널 제작 위치는 ACL 대퇴골 부착부 전체의 중심으로 해야 하는데, 📷3과 📷5의 중간 정도[5]에 제작한다.

코멘트 NEXUS view ///

드릴 선택

　　대퇴골 드릴로 터널을 만들 때 처음부터 최종 단계 직경의 드릴을 사용하면 예정했던 위치에서 어긋나게 제작될 수 있다. 드릴 직경을 가장 낮은 단계에서 0.5 mm씩 올리면서, 회전시키기 전에 드릴 끝을 터널에 넣어두면 예정된 위치에 터널을 제작할 수 있다.

터널의 위치 미세조정 방법

　　ENDOBUTTON® drill로 터널 제작 후 위치를 조금씩 조정하고 싶은 경우에는, 대퇴골 외측 피질로 나온 패싱핀을 손으로 젖히면서 터널 내에서의 패싱핀을 원하는 방향으로 유도하고 그 상태에서 cannulated drill로 드릴링하면 위치를 조정할 수 있다.

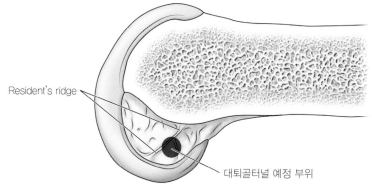

Resident's ridge

대퇴골터널 예정 부위

📷5 후외측 다발 파열형의 대퇴골터널 예정 부위

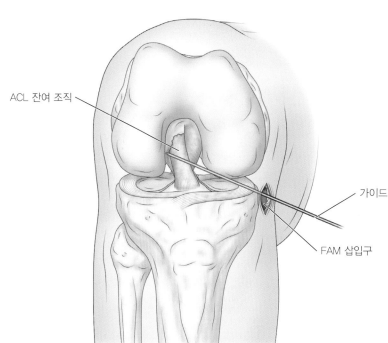

ACL 잔여 조직

가이드

FAM 삽입구

📷6 FAM에서부터 대퇴골터널 제작

5 경골터널 제작

잔여 조직 경골 부착부의 중앙에서 약간 내측으로, 전내측 삽입구에서 메스로 틈새(slit)를 만든다 📷7a. 경골 관절면에 대해 60~65°로 세팅한 ACL 경골 드릴 가이드의 타겟을 틈새를 통해서 잔여 조직 안에 넣고 2.0 mm 직경의 Kirschner 강선(K-wire)을 삽입한다 📷7b. 경골터널의 위치는 전내측 다발 파열형이나 완전 파열형에서는 ACL 경골 부착부 내에서 가능한 전방의 약간 내측에, 후외측 다발 파열형에서는 ACL 경골 부착부의 중심에서 약간 내측에 제작한다. ACL 경골 드릴 가이드의 세팅 각도가 크기 때문에 K-wire의 tip이 경골 드릴 가이드의 타겟팅을 지나쳐서 잔여 조직을 뚫고 나오는 경우는 드물어서, 수술 중에 X선 투시장치가 필요 없다. 슬관절을 신전해서 K-wire가 대퇴골과 충돌하지 않는 위치임을 확인한 후, 이식건 직경에 맞춘 경골 드릴로 터널을 만든다.

> 코멘트 **NEXUS view** ///
>
> 경골터널 내에서 이식건은 대퇴골터널로 당겨지는 힘을 받아서 외측으로 치우치게 되므로 경골터널은 ACL 경골 부착부의 약간 내측에 제작한다. 경골터널을 만들 때는 무릎을 45° 정도로 굴곡하면 관절 내의 전방이 관찰하기 쉬워진다.

a

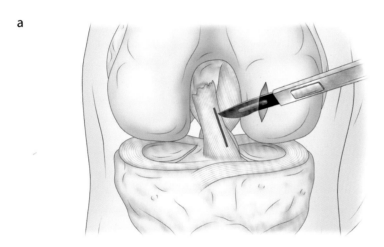

b

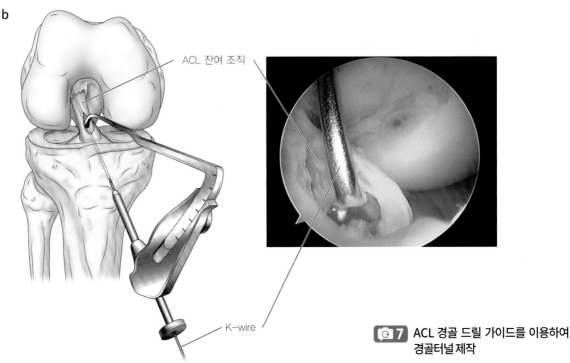

ACL 잔여 조직

K-wire

📷7 ACL 경골 드릴 가이드를 이용하여
경골터널 제작

6 이식건 진입

FAM 삽입구로부터 패싱핀을 대퇴터널 내로 통과시키고, 핀의 원위단에 5호 ETHIBOND® EXCEL (Ethicon) 실의 양끝을 걸쳐 핀을 대퇴외측으로 뽑아낸다. 관절 내에서 ETHIBOND® EXCEL사의 루프 부분을 경골터널 원위측에서 집어 넣은 grasper 등으로 실을 잡고, 경골터널 원위로 뽑아낸다.

이때, 예를 들어 후외측 다발 파열에 대한 보강을 잔여 조직의 전방으로 통과시켜 버리면 해부학적으로 정확한 주행이 아니기 때문에 이식건과 잔여 조직 사이에 충돌이 생겨 버린다. 후외측 다발 파열형이나 완전 파열형에서는 이식건이 잔여 조직 앞쪽으로 오지 않도록 루프 부분을 한번 슬릿으로 통과시킨 후 경골 쪽으로 빼낸다 G 8 . 전내측 다발 파열형에서는 이식건이 잔여 조직 전방을 지나도 되므로 슬릿을 통하지 않고 그대로 경골터널로 유도한다.

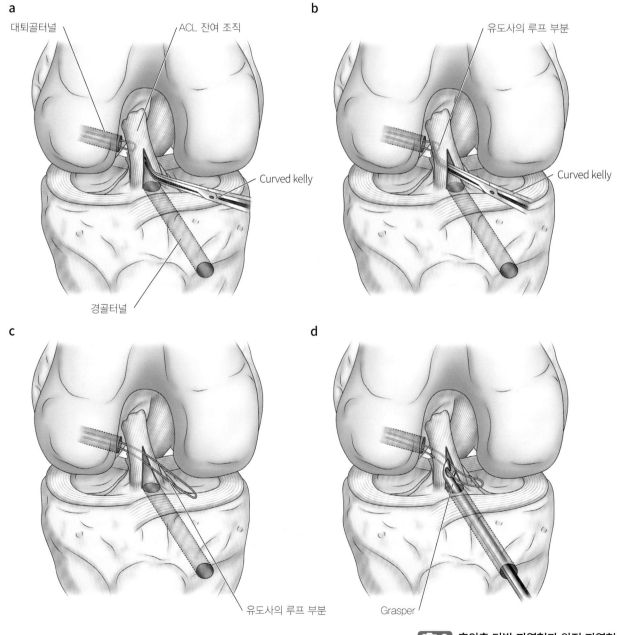

G 8 **후외측 다발 파열형과 완전 파열형에서의 유도사의 이용**

7 이식건 고정

이식건은 반건양건을 두 차례 접어서 네 겹(quadruple)으로 만들고 대퇴측은 적절한 길이의 ENDOBUTTON® CL (Smith & Nephew사)을 사용하고, 말초측에는 ENDOBUTTON® tape (Smith & Nephew사)를 장착한다.

대퇴골·경골터널을 통과한 ETHIBOND® EXCEL의 루프 부분에 ENDOBUTTON® CL에 연결한 실을 통해 경골터널에서 이식을 관절 내로 유도한다. ENDOBUTTON® CL을 대퇴골 외측 피질 위에서 플립(flip)하여 고정한다. 무릎을 굴곡—신전하면서 경골터널 원위에서 이식건이 어느 정도 이동하는지(length change pattern)를 확인한다. 전내측 다발 파열형이나 후외측 다발 파열형, 완전 파열형의 어떤 타입에서도 기본적으로 고정방법은 동일하며, 슬관절 30° 굴곡을 위해서, 슬와부에 받침을 댄 상태에서 50 N의 장력을 이식건에 가하면서 더블 스테이플링법으로 고정한다 📷9.

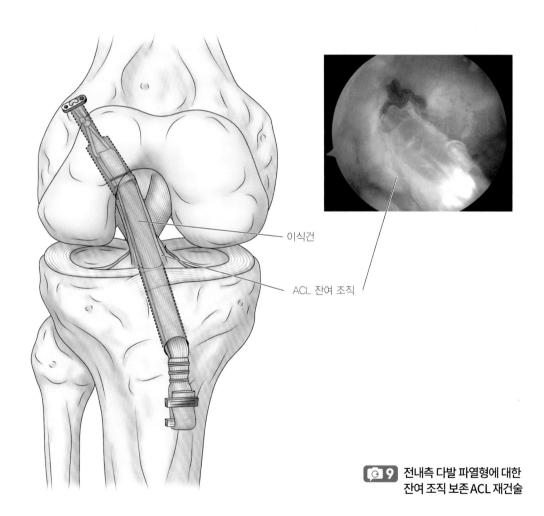

이식건

ACL 잔여 조직

📷9 전내측 다발 파열형에 대한
잔여 조직 보존 ACL 재건술

후외측 다발 파열형이나 완전 파열형에서는 만들어진 틈새(slit)를 봉합하는 것도 가능하다 📷10.

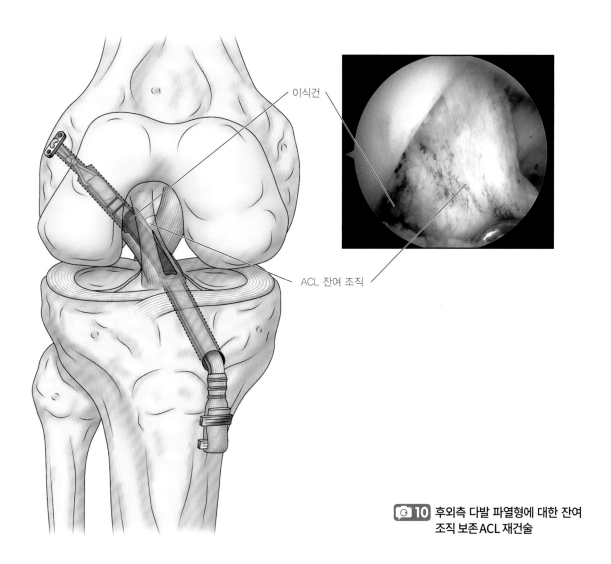

이식건

ACL 잔여 조직

📷10 후외측 다발 파열형에 대한 잔여
조직 보존 ACL 재건술

8 수술 후 재활

Knee brace 착용을 수술 후 2~3일 실시한 후, ACL 보장구를 장착하여 슬관절 가동범위 훈련 및 근력강화 훈련을 시작한다. 수술 후 10일부터 1/3 부분 하중 부하를 시작하여 증상을 지켜보면서 서서히 하중을 증가하여 수술 후 약 3주에 전체 하중을 허용하도록 한다. 반월판 봉합을 동시에 행한 경우에는 knee brace 수술 후 착용 기간을 반월판 봉합 상태에 따라 1~2주간으로 하고, 하중 부하도 그만큼 늦춘다. 수술 후 약 4개월부터 조깅을 개시해, 약 6개월에 가속 주행을 허가한다. 하지 근력이 건측의 80% 이상 회복되면 서서히 스포츠별 맞춤 동작의 연습을 더해가지만, 최종적인 스포츠 복귀는 수술 후 10~12개월로 하고 있다. 잔여 조직을 보존하는 ACL 재건술에서는 이식건으로의 조기 혈관신생이나, 관절 고유감각(proprioception)의 개선 등 많은 이점이 있을 것으로 생각되므로 향후에는 보다 안전하게 조기 스포츠 복귀를 실시할 수 있을 가능성이 있다.

참고문헌

1) Ochi M, Adachi N, Deie M, et al. Anterior cruciate ligament augmentation procedure with a 1-incision technique:anteromedial bundle or posterolateral bundle reconstruction. Arthroscopy. 2006;22:463.
2) Ochi M, Adachi N, Uchio Y, et al. A minimum 2-year follow-up after selective anteromedial or posterolateral bundle anterior cruciate ligament reconstruction. Arthroscopy. 2009;25:117-22.
3) Adachi N, Ochi M, Uchio Y, et al. Anterior cruciate ligament augmentation under arthroscopy. A minimum 2-year follow-up in 40 patients. Arch Orthop Trauma Surg. 2000;120:128-33.
4) Nakamae A, Ochi M, Deie M, et al. Biomechanical function of anterior cruciate ligament remnants:How long do they contribute to knee stability after injury in patients with complete tears? Arthroscopy. 2010;26:1577-85.
5) 中前敦雄, 越智光夫, 安達伸生, ほか. レムナント温存前十字靭帯再建術の方法と術後成績. 整・災外. 2014;57:399-404.

I. 전방십자인대(ACL)

자가슬개건을 이용한 해부학적 직사각형 터널 전방십자인대 재건술

(Anatomic Rectangular Tunnel ACLR with a BTB graft)

유키오카 병원 스포츠정형외과센터 **시노 콘세이(Konsei Shino)**
오사카대학 대학원 의학계연구과 기관제어외과학(정형외과) **마에 타츠오(Tatsuo Mae)**

Introduction

골—슬개건—골(bone-patellar tendon-bone; BTB, 주로 10 mm 너비)을 이용한 전방십자인대(ACL) 재건술은 널리 행해지는 술식이며, 구미에서는 BTB에 의한 재건술을 gold standard로 여긴다.

일반적으로는 10 mm 직경 원형의 단면을 갖는 원통형 터널에 BTB를 도입·고정하는 원형 터널 재건술이 시행되고 있다. 그러나 ACL의 대퇴골측 부착부는 resident's ridge와 연골에 둘러싸인 반원형 부위로서 최대 가로지름이 7~10 mm인 반면에, 경골측 부착부는 내측과간 융기와 외측 반월판 전각, anterior ridge로 둘러싸인 'C' 형태로, 가로 직경이 7~9 mm이다. 이 때문에 10 mm 직경의 원형으로 터널을 제작해버리면 터널 방향과 부착부가 수직이 되지 않을 수도 있어서 터널 개구부가 ACL 부착부를 넘어서게 되어, 외측 반월판 전각 등을 부분적으로 손상시켜 버릴 수 있다. 저자들은 5×10 mm 단면의 직사각형 터널을 제작함으로써 ACL의 부착부를 가능한 원래의 형태와 유사하게 만들어서 정상 ACL의 섬유주행을 재현한 해부학적 직사각형 ACL 재건술을 고안했다 그림1.

본 수술은 직사각형 터널에 적합하도록 이식 골편을 제작하는 것이 필요하지만, 터널 개구부와 ACL 부착부의 형태를 맞출 수 있으며, 외측 반월판 전각 등의 손상을 초래하지 않는 뛰어난 술식이다 그림2.

수술 전 고려 사항

● 적응증과 금기증

본 술식은 자가 슬건(hamstring)을 사용하는 경우와 달리, BTB를 이식건으로 채취하기 때문에 대퇴사두근의 근력회복이 지연되거나, 무릎을 꿇었을 때 통증(kneeling pain), 수술 후 슬관절 전방 통증(anterior knee pain) 등이 발생할 수 있는 결점을 가지고 있으며, 수술 후 근력회복 및 슬개골 가동성 회복에는 유의할 필요가 있다. 따라서, 좋은 적응증은 다음과 같다.

① 스포츠 복귀에 대해 높은 동기부여를 갖고, 적극적으로 근력회복 등의 트레이닝에 임할 수 있는 경우

② 경기 특성상 햄스트링의 근력 저하를 피하고 싶은 증례

③ 햄스트링을 이용한 재건 인대가 재파열되어서, 재재건술(revision)이 필요한 사례

④ 햄스트링 저형성(hypoplasia)의 경우

한편, 금기로서는 다음을 들 수 있다.

① 중장년층 여성

② 무릎을 꿇는 자세를 많이 하는 직업을 갖고 있는 환자

③ 슬개건 저형성

● 마취

전신마취로 한다.

● 수술

앙와위에서 leg holder를 사용하여 대퇴 원위 절반을 수평으로 하고 이하는 중력에 의해 하수시킨다 그림3. 지혈대와 관절경 펌프를 사용한다.

수술 진행 순서

1 관절경 삽입구

2 피부 절개

3 이식건 채취 및 제작

4 대퇴골터널 제작
- Transportal Inside-Out approach: 슬관절의 수동적 굴곡 140° 이상의 증례
- Outside-In approach: 슬관절의 수동적 굴곡 140° 미만의 증례

5 경골측 터널 제작

6 이식건 삽입 및 고정

7 수술 후 재활

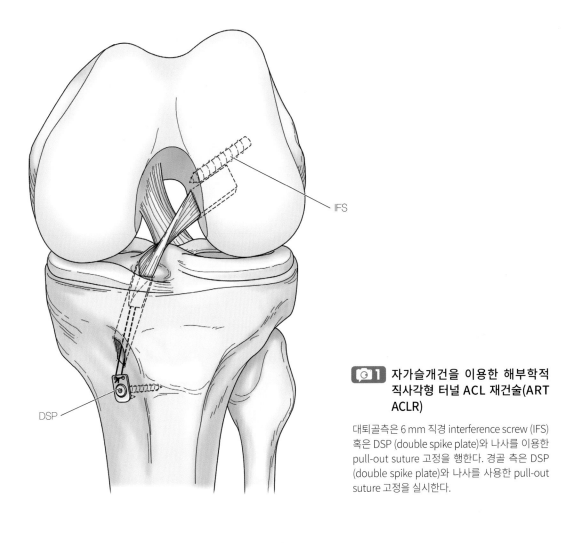

📷1 자가슬개건을 이용한 해부학적 직사각형 터널 ACL 재건술(ART ACLR)

대퇴골측은 6 mm 직경 interference screw (IFS) 혹은 DSP (double spike plate)와 나사를 이용한 pull-out suture 고정을 행한다. 경골 측은 DSP (double spike plate)와 나사를 사용한 pull-out suture 고정을 실시한다.

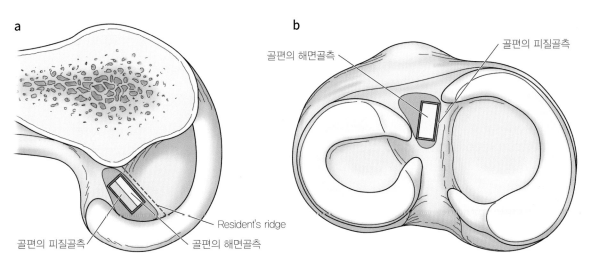

📷2 ART ACLR 술식에서 개구부와 이식골편의 위치관계

a: 대퇴골측
b: 경골측

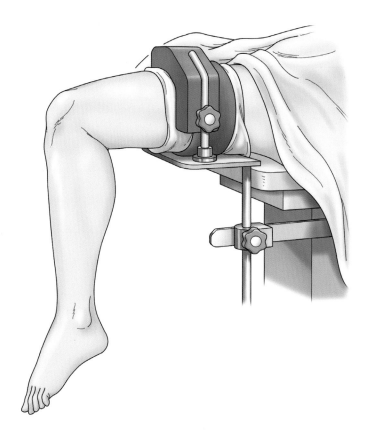

📷3 수술 체위

코멘트 **NEXUS view** ///

　　대퇴의 원위 절반을 수평하게 하면 대퇴골측 부착부의 장축, resident's ridge의 방향 확인이 용이 해지고 해부학적 직사각형 터널을 제작하기가 쉬워진다. 그리고, 무릎 굴곡 각도의 자유로운 조작과 내외반 스트레스 부하가 용이해져서 반월판 등의 처치가 용이해진다.

Fast Check

❶ 45° 관절경을 사용한다. 전외측 삽입구(AL portal)는 전체적인 관찰 및 진단용으로 이용한다. 전내측 삽입구 (AM portal)는 대퇴골, 경골의 부착부 관찰에 이용한다. 관절경의 방향을 각각의 부착부 방향에 맞춘다. 원전 내측 삽입구(far anteromedial; FAM portal)는 수술도구 삽입용으로 이용한다.

❷ 터널 개구부를 해부학적 부착부에 정확히 위치하게 하는 것이 가장 중요하다. 이를 위해서는 손상된 십자인대 잔여 조직의 제거가 필요하다.

❸ 이식 골편의 관절 내 및 터널의 도입은 쉽지 않을 수가 있으므로, 정확한 사이즈 맞추기, 터널벽의 꼼꼼한 줄질 (rasping), 터널과 골편의 세밀한 방향 맞추기가 필요하다.

수술 술기

1 관절경 삽입구

① 전외측 삽입구(AL portal, 진단용), ② 전내측 삽입구(AM portal, 관절경 관찰용), ③ far anteromedial (FAM portal, 수술 도구용)을 이용한다 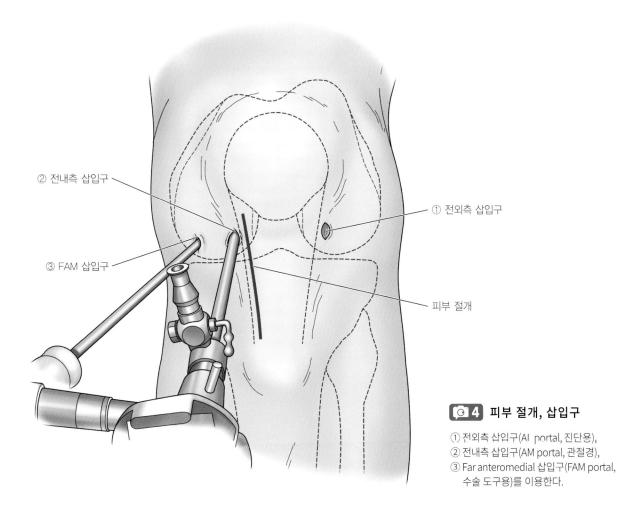4.

덧붙여 저자들은 45° 관절경만을 수술 중에 사용하고 있지만 30° 관절경도 수술은 가능하다.

2 피부 절개

슬개건 내측 가장자리를 따라 슬개골 하연에서 경골조면까지 약 7 cm의 세로 피부 절개를 가한다 4. 이 방식의 피부 절개에 의해서는 피부지각장애가 경미하고, 수술부위 통증을 호소하는 경우가 거의 없다.

② 전내측 삽입구

③ FAM 삽입구

① 전외측 삽입구

피부 절개

4 피부 절개, 삽입구

① 전외측 삽입구(Al portal, 진단용),
② 전내측 삽입구(AM portal, 관절경),
③ Far anteromedial 삽입구(FAM portal, 수술 도구용)를 이용한다.

3 이식건 채취 및 제작

슬개건 중앙에서 내측으로 치우치게, 10 mm 너비로 이식건을 분리한 후, 양쪽 끝에 경골조면 및 슬개골에서 15×10 mm 크기의 골편을 붙인 상태로 슬개건을 채취한다. 채취한 이식건 경골측 골편은 폭 10 mm, 두께 5 mm, 길이 15 mm로 제작한다. 한편, 슬개골 측 골편은 bone saw로 삼각기둥 모양으로 채취하여 10 mm 직경의 sizing tube를 통과하도록 한다 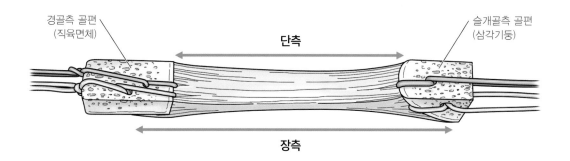 5 . 이식건 채취 시 슬개골 측 골편을 채취할 때는 슬개골 골절을 예방하기 위하여 너무 크게 골편을 떼어내지 않도록 주의해야 한다.

경골측 골편
(직육면체)

단측

슬개골측 골편
(삼각기둥)

장측

⊙5 10mm 너비의 슬개건

슬개건 중앙에서 내측으로 치우치게, 10 mm 너비로 힘줄을 분리한 후, 양쪽 끝에 경골조면 및 슬개골에서 15×10 mm 크기의 골편을 붙인 상태로 슬개건을 채취한다. 장측을 전방에 위치하게 한다. 경골측 골편은 폭 10 mm, 두께 5 mm, 길이 15 mm의 직육면체로 만들어서 대퇴골터널로 유도한다. 한편, 슬개골측 골편은 삼각기둥 모양 그대로 10 mm 직경의 sizing tube를 통과할 수 있게 한다.

4 대퇴골터널 제작

대퇴골 ACL 부착부 부근의 잔여 조직을 제거하여 부착부 표면을 노출시켜야 하는데, 특히 대퇴골 외과의 후방 및 상방(superior-posterior half of the lateral wall of the intercondylar notch)의 연골 경계를 철저히 확인한다. 대퇴골 외과의 후방 연골 경계에서, 7~10 mm 거리를 두면서 전방으로 비스듬하게 주행하는 resident's ridge를 확인한다.

확인이 되면, ridge와 외과의 연골 경계에 둘러싸인 반원상의 대퇴골 ACL 부착부 중앙에 ridge와 평행하게, RF 디바이스나 microfracture awl를 이용하여 5 mm 간격을 두고 두 군데를 마킹한다
📷**6**.

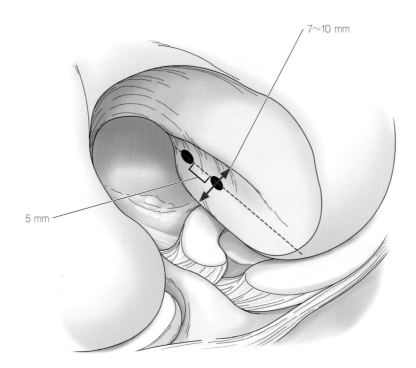

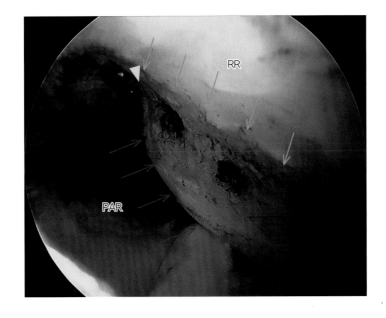

📷**6** 노출된 대퇴골의
ACL 부착부

대퇴골 ACL 부착부 부근의 잔여 조직을 박리하여 골표면을 노출시키고, 대퇴골 외과 후방 연골경계(posterior cartilage margin; PAR) (빨간 화살표), 후방연골 경계의 상단(upper cartilage margin'; 노란색 화살표 머리)을 확인한다. PAR 가장자리보다 7~10 mm 전방으로 경사지게 주행하는 resident's ridge (RR) (청색 화살표)를 확인한다. 다음으로 ridge와 외과연 골후연에 둘러싸인 반원상의 대퇴골 ACL 부착부 중앙에 ridge와 평행하게 RF 디바이스나 microfracture awl를 이용하여 5 mm 간격으로 두 군데 마킹을 실시한다.

Transportal Inside-Out approach: 슬관절의 수동적 굴곡 140° 이상이 가능한 증례

전내측 삽입로부터 관절경으로 관찰하면서 무릎을 최대 굴곡시키고 FAM 삽입구를 지나는 2.4 mm 직경의 가이드와이어 2개를 마킹 부위를 통과해서 대퇴골 외측의 골피질을 향해 서로 평행하게 삽입한다 📷7a . 다음으로 5 mm 직경의 가운데가 cannulated drill에서 근위측 가이드와이어로는 외측 골피질까지, 원위측의 가이드와이어는 깊이 20 mm까지 오버드릴하여 연속되는 2개의 5 mm 직경의 터널을 제작한다 📷7b . 다시 직육면체 모양의 확장기(dilator) 5×10 mm (Smith & Nephew Endoscopy, MA, USA, E0014050-2)로 깊이 20 mm의 직육면체 소켓을 제작한다.

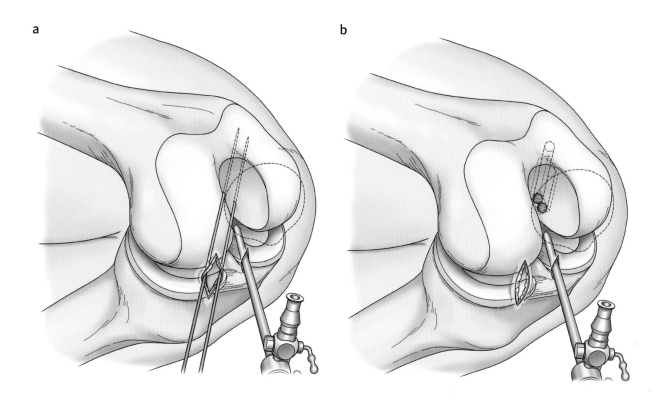

a
b

📷7 대퇴골측 터널 제작: Transportal Inside-Out 접근법

a: 전내측 삽입구부터 관절경으로 보면서 무릎을 최대 굴곡시키고 FAM 삽입구를 거쳐 가이드와이어 2개를 마킹 부위에서 대퇴골 외측골피질을 향하여 서로 평행하게 삽입한다.

b: 다음으로 5 mm 직경의 cannulated drill로 근위측의 가이드와이어는 대퇴골 외측 피질까지, 원위측 가이드와이어는 깊이 20 mm까지 오버드릴하여 연속되는 두 개의 5 mm 직경 골공을 만든다. 다시 직육면체 모양의 확장기 5×10 mm로 깊이 20 mm의 직육면체 소켓을 제작한다(빨간 점선).

Outside-In approach: 슬관절의 수동적 굴곡 140° 미만의 증례

무릎을 굴곡 70~80°인 채로 두고 전외측 삽입구에서 anterolateral entry femoral guide (Smith & Nephew Endoscopy, MA, USA, #6901189 또는 7210984)를 이용하여, 대퇴골외측 골피질에서부터 앞서 마킹한 두 부위의 중앙 부위를 향하여 Outside-In 방식으로 2.4 mm 직경의 가이드와이어를 1개 삽입 한다 📷 8a.

다음으로는 삽입된 가이드와이어를 바탕으로, 10 mm 직경의 cannulated drill로 골피질만 뚫고 해 당 술식 전용 10-mm Offset Drill Guide를 이용해서 대퇴골 부착부(foot print)의 장축과 평행하게 2 개의 가이드와이어를 추가 삽입한다 📷 8b. 이러한 방식으로 3개의 와이어는 resident's ridge와 평 행하게 배열하게 된다.

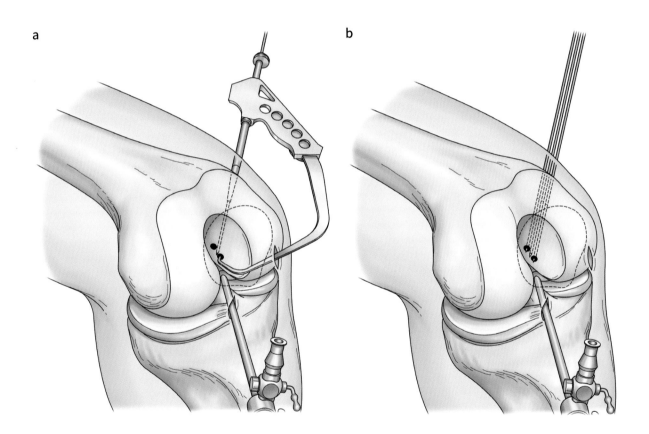

a   b

📷 8 대퇴골측 터널 제작: Outside-In 접근법

a: 전내측 삽입구부터 관절경으로 보면서 무릎 굴곡 70~80°인 채로 전외측 삽입구 에서 anterolateral entry femoral guide (Smith & Nephew Endoscopy, MA, USA, #6901104 또는 7210984)를 대퇴 외측부에 작은 피부 절개를 가해서 대퇴 골 외측의 골피질에서 부착부 중심을 향하여 가이드와이어를 삽입한다.
b: a를 바탕으로 하여 터널을 제작한다.

마지막으로, 5 mm 직경의 드릴로 외측 대퇴골 피질에서부터 관절 내부까지 오버드릴 한 후, 확장기 5×10 mm로(Smith & Nephew Endoscopy, MA:E0014050-2), 5×10 mm 단면의 직육면체 터널을 Outside-In으로 만든다 📷 9.

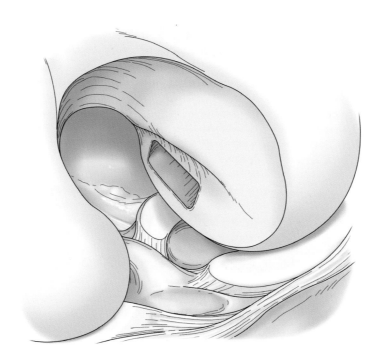

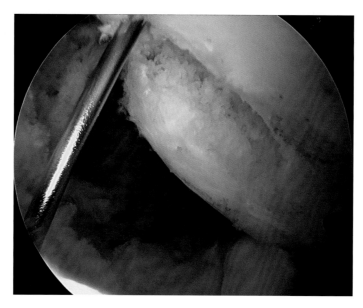

📷 9 대퇴골터널의 개구부
(전내측 삽입구에서 관절경으로 관찰)

5 경골측 터널 제작

전내측 삽입구에서 하방을 관찰하면서 ACL의 경골측 부착부를 박리해서 C자 형태의 부착부를 찾아서 박리한다 📷10.

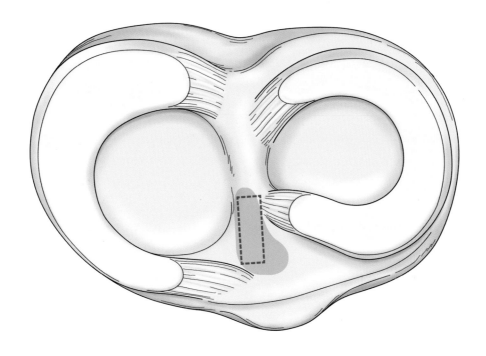

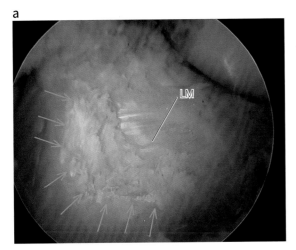

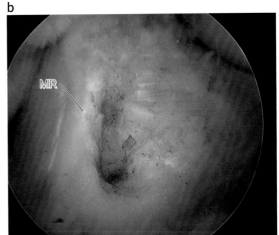

📷10 경골측 부착부 노출 및 터널 개구부 마킹

a: 전내측 삽입구에서 하방을 관찰하면서, ACL 경골 부착부를 박리하여 C자 형태의 부착부(화살표)를 박리한다(LM: 외측 반월판 전각).

b: RF 디바이스를 이용하여 직사각형 경골터널 개구부를 마킹한다(MIR: 내측과간 융기).

다음으로, 경골측 드릴가이드, tibial tip aimer (Smith & Nephew Endoscopy, MA:7205519)로 각도를 45°로 설정하고 FAM 삽입구에서 삽입해서 2.4 mm직경의 가이드와이어를 경골조면의 내측 약 2.5 cm의 부위에서 마킹한 개구부 중앙에 삽입한다 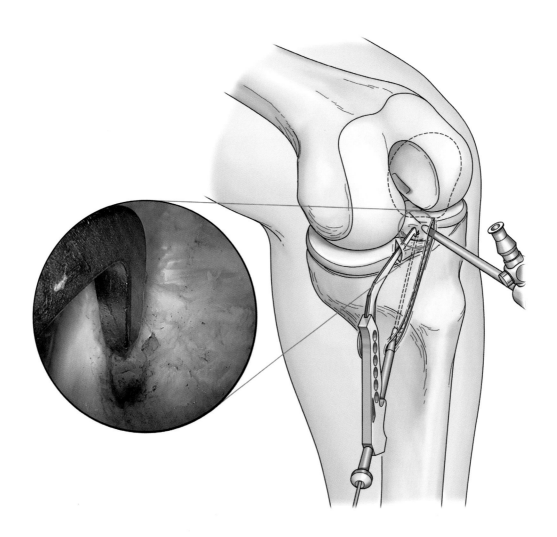11. 그 와이어를 가이드로 삼아 10 mm 직경의 cannulated drill로 골피질만을 관통한 후, 이식건의 경골조면 골편 채취부로의 대체 골이식을 위해서 10 mm 직경 × 15 mm 길이의 원주상(둥근기둥 모양)골편을 채취기를 이용해서 채취한다.

🎥11 **경골측 드릴 가이드를 이용한 중심 가이드와이어 삽입**

왼쪽 무릎 전내측 삽입구로부터의 관절경 소견
RF 디바이스로 마킹한 경골터널 개구부 중앙에다가 FAM 삽입구에서 삽입한 드릴가이드의 aimer를 갖다 붙이고, 경골조면보다 2.5 cm 내측의 피질골보다 정상 ACL 경골 부착부 중앙에 2.4 mm 직경 가이드와이어를 삽입한다(중심 가이드와이어). 원위 ½는 원주상 터널이 되므로 bone dowel harvester 등을 이용해 원주상골을 채취하여, 이식건 채취과정에서 발생한 경골조면부에 생기는 골결손부에 이식한다.

Offset Stepped Pin Guide (Smith & Nephew Endoscopy, MA: E0014050-7)를 사용해서, 먼저 박힌 가이드와이어의 전후방에 위치시켜 medial intercondylar ridge와 각각 평행하게, 각각 가이드와이어를 1개씩 삽입한다 📷12a. 최초로 삽입한 가이드와이어를 제거 후, 5 mm 직경의 cannulated drill로 오버드릴하여 연속된 2개의 터널을 만든다. 그리고 5×10 mm 확장기(Smith & Nephew Endoscopy, MA:E0014050-2)를 통해서, 경골터널 근위부에 직육면체의 터널을 제작한다(📷12b, 📷12c).

코멘트　**NEXUS view** ///

Outside-In으로 오버드릴이나 확장기를 사용할 때 tip이 관절 내로 약간 나오는 정도에서 멈추고, 다음은 raspatory, 큐렛으로 관절 내부를 긁어낸다. 그러면 터널 안에 장애물이 없어진다.

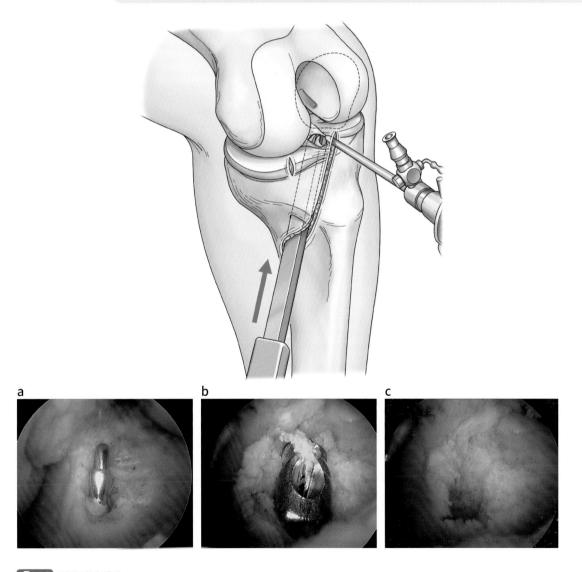

📷12 경골터널 제작

a: 경골 부착부에 세로 방향으로 위치한 가이드와이어. 중심 가이드와이어를 바탕으로 하여 Offset Stepped Pin Guide (Smith & Nephew Endoscopy, MA:E0014050-7)를 이용하여 전후로 가이드와이어를 삽입한다. 그 후 중심 가이드와이어를 제거한다.

b: 경골 부착부에 박힌 5×10 mm 확장기(Smith & Nephew Endoscopy, MA:E00140502) 첨단(tip). 전후의 가이드와이어를 5 mm 직경의 cannulated drill로 오버드릴하여 연속된 2개의 터널로 만든 후, 5×10 mm 확장기로 터널 근위부를 직육면체 터널로 만든다.

C: 완성된 직사각형 터널 개구부(왼쪽 무릎 전내측 삽입구에서 관절경 소견)

6 이식건 삽입 및 고정

이식건은 경골조면측 골편을 선두로 하여 경골터널에서부터 관절 내로 유도하여 대퇴골터널로 이끈다. 이식건 골–건이행부를 대퇴골측 터널 개구부와 일치시키고, interference screw를 Outside–In으로 삽입하며, 이식건 골편을 대퇴골측에서 고정한다.

무릎 굴곡 15~20°로 하며, 경골터널 개구부에서 이식건의 슬개골 골편에 걸어둔 실을 Double Spike Plate [DSP (Meira)] 상단 홀에 봉합하고, DSP 하단 홀(hole)에 봉합한 장력부하용 실을 하퇴에 장착된 tensioning boot의 장력 측정계에 고정한다 ⓒ13. 초기 장력 부하용 실을 도수적으로 반복해서 강하게 당겨서, construct의 하중 완화를 충분히 일으키게 하고 10~20 N의 초기장력이 정상 상태가 된 후, 약 2분 후에 DSP와 스크류로 일정한 장력 하에 고정한다 ⓒ14.

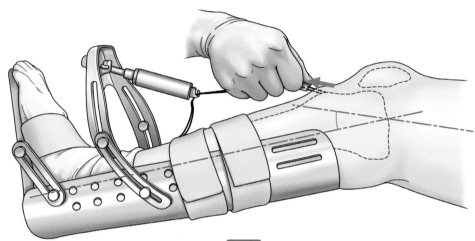

ⓒ13 이식건의 고정

무릎 굴곡 15~20°로 하고, 경골터널 원위 개구부에서 이식건의 슬개골 편에 건 실을 Double Spike Plate: DSP (Meira) 상단 홀에 봉합하고, DSP 하단 홀에 봉합한 장력부하용 실을 하퇴에 장착한 tensioning boot의 장력(화살표) 하에 고정한다. 초기 장력 부하용 실을 도수적으로 반복하여 강하게 잡아당기고 이식건의 하중 완화를 충분히 일으키게 하여 10~20 N의 초기장력이 정상 상태가 되고 약 2분 후에 DSP와 스크류로 장력 하에 고정을 실시한다.

a
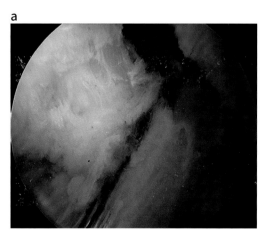

b
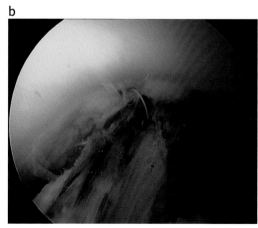

ⓒ14 본 술식에 의한 재건인대/이식건(전외측 삽입구에서의 관절경 소견)

a: 굴곡위. 후방 십자 인대와 충돌하지 않는다.
b: 신전위. 과간절흔과 충돌 없음. 또한 과간절흔성형술(notchplasty)은 시행하지 않았다. 미리 이식건의 전내측 경계에 마킹을 실시하면 이식건의 방향(orientation)을 알기 쉽다.

코멘트 **NEXUS view** ////

　　본 술기에서의 이식건을 터널로 유도하는 방식은 햄스트링 근건과 같은 연부조직 이식건과는 다르게 쉽지 않다. 이식건 골편이 진입하는 방향과 터널의 방향을 일치시키는 것이 중요하다. 이식건 유도 시 elevator 등을 이용하여 이식건 골편을 진입하는 방향과 터널의 방향을 일치되게 유도하면서 진입하게 하는 것이 좋다.

주의! **NEXUS view** ////

　　대퇴골측 interference screw 고정이 쉽지 않다. 후방 터널의 벽이 얇을 경우 스크류 삽입 시 종종 터널의 붕괴를 초래해서 고정부전이 될 수 있다. 특히, Inside-Out 접근의 경우에 터널 붕괴를 초래하기 쉽다. 조금이라도 터널 붕괴-고정부전이 우려되면 3 cm 정도의 대퇴 외측에 피부 절개를 가한 후 유도실에 의한 pull-out 고정으로 전환한다. 이 경우 장력의 조정 및 유지가 불필요하므로 DSP-SS (short spike)가 편리하다.

7 수술 후 재활

　　경도 굴곡위로 1주간 고정 후, 굴곡 방향으로의 가동범위 훈련을 시작하고, 3주 후부터 신전 훈련도 시작한다. 하중에 대해서는 수술 후 2주부터 부분 하중보행을, 4주에 전체 하중보행을 허용한다. 수술 후 3개월만에 조깅을 허용하고, 6~8개월만에 스포츠 복귀를 할 수 있는데, 근력 트레이닝이나 밸런스 트레이닝을 하고 있다.

주의! **NEXUS view** ////

　　슬개건을 이식건으로 채취하면 수술 후 슬개골 가동성 저하를 초래하기 쉽고 관절섬유증 (arthrofibrosis)이 생기는 경우가 있다. 슬개골 가동성 불량이나 근력 회복 지연을 예방하기 위해서는 수술 후 조기부터 슬개골 운동이나 슬개골을 근위로 끌어당기는 대퇴사두근의 근수축운동 교육이 중요하다.

참고문헌

1) Iwahashi T, Shino K, Nakata K, et al. Direct anterior cruciate ligament insertion to the femur assessed by histology and 3-dimentional volume-rendered computed tomography. Arthroscopy. 2010;26(9 Suppl):S13-20.

2) Purnell ML, Larson Al, Clancy W. Anterior cruciate ligament insertions on the tibia and femur and their relationships to critical bony landmarks using high-resolution volume-rendering computed tomography. Am J Sports Med. 2008;36:2083-90

3) Tensho K, Shimodaira H, Aoki T, et al. Bony Landmarks of the Anterior Cruciate Ligament Tibial Footprint : A Detailed Analysis Comparing 3-Dimensional Computed Tomography Images to Visual and Histological Evaluations. Am J Sports Med. 2014;42:1433-40.

4) Shino K, Nakata K, Nakamura N, et al. Anatomically oriented anterior cruciate ligament reconstruction with a bone-patellar tendon-bone graft via rectangular socket and tunnel:a snug-fit and impingement-free grafting technique. Arthroscopy. 2005;21:1402.

5) Shino K, Nakata K, Nakamura N, et al. Rectangular tunnel double-bundle anterior cruciate ligament reconstruction with bone-patellar tendon-bone graft to mimic natural fiber arrangement. Arthroscopy. 2008;24:1178-83.

I. 전방십자인대(ACL)

절골술을 병용한 전방십자인대 재건술

히로사키대학 대학원 의학연구과 정형외과학 강좌 **야마모토 유지(Yuji Yamamoto)**
히로사키대학 대학원 의학연구과 정형외과학 강좌 **이시바시 야스유키(Yasuyuki Ishibashi)**

Introduction

수술 전 고려 사항

● 적응증과 금기증

고위 경골절골술(high tibial osteotomy; HTO)을 병용한 전방십자인대(ACL) 재건술의 적응증은 내측 구획의 퇴행성 관절증(OA)을 수반하는 ACL 손상 및 ACL 부전 사례이다. ACL 손상이 방치되었거나, ACL 재건이 이루어졌으나 여러 가지 이유로 ACL 부전이 초래됨으로써 내측 대퇴–경골(FT)관절을 중심으로 하는 OA에 이르게 된 증례로서, 무릎의 내측 통증과 슬관절 불안정성이 함께 있는 증례가 적응증이다.

무릎 가동범위에 대해서는 HTO 단독의 경우와 마찬가지로 무릎 관절의 신전 제한이 강한 증례(신전 제한 15° 이상)는 적응증에서 제외된다. 또한 HTO 단독의 경우와는 다르게, 교정 후의 하지 정렬상태는 역학적 축이 무릎의 중심을 통과하도록 교정을 하고 있다. 하지 정렬 경도~중등도 내반 무릎에서는 과교정이 되지 않도록 주의를 요한다.

● 수술 계획 📷1

수술 전 계획에는 앙와위 또는 하지 전장 방사선 영상을 이용한다. Digital template software로 시뮬레이션하여 교정에 필요한 절골부위 opening 양을 결정한다. 먼저, 대퇴골두 중심에서 족관절 중심(거골 중심, A)을 통과하는 교정 전 역학적 축(빨간 선)을 긋는다. 교정 후 역학적 축(파란 선)으로 경골 관절면에서 내측단에서부터 50~55% (M')를 통과하도록(HTO 단독시행 시에는 62.5%) 대퇴골두중심에서 족관절 레벨까지 선을 긋는다. 절골 개시 위치(B; 경골 내측에서 관절면에서 약 3 cm 원위)에서 비골두를 향해 선을 긋고, 선상에서 경골 외측에서 약 5~10 mm 내측으로 이동한 점을 Hinge point (C)로 한다. 족관절 중심이 교정 후 역학적 축과 겹칠 때까지, Hinge point를 중심으로 절골 원위를 회전(외전)시킨다. 절골 개시점의 이동거리(B-B')가 교정에 필요한 절골부위 opening 양이 되고, ∠BCB'가 교정각도가 된다.

● 마취

전신마취나 요추마취, 모두 수술이 가능하지만 술식이 숙달될 때까지는 전신마취가 권장된다.

● 수술 체위

앙와위로 하고, 미리 대퇴 근위에 지혈대를 장착한다. 또한 ACL 재건 시에는 환지를 수술대에 올려놓고 무릎 관절을 굴곡 90°로 하여 수술을 실시하므로, 그 지위를 유지할 수 있도록 지지대를 세팅한다. HTO는 내측에서 수행하기 때문에 C-arm은 환측에서 들어올 수 있도록 하고, 투시용 모니터를 환측에 배치시킨다. 교정 후 역학적 축을 확인하기 위해 대퇴골두까지 투시 가능함을 확인한다.

수술 진행

1 진단적 관절경
2 접근법
3 이식건 채취 및 제작
4 경골 절골
5 절골부위 개방(open)
6 절골부위 고정
7 ACL 재건을 위한 터널 제작
8 이식건 고정
9 수술 후 재활

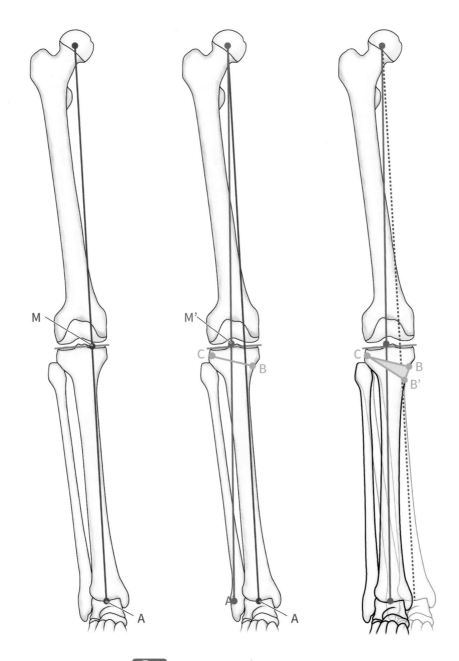

📷1 수술 전 계획

빨간색 선: 교정 전 역학적 축 / 파란색 선: 교정 후 역학적 축
A: 족관절 중심(거골 중심), **B**: 절골 개시점, **C**: 교정의 지점(Hinge point)
A': 교정 후 족관절 중심, **B'**: 절골 개시점 원위 교정 후 위치, **B-B'**: 절골부위 개구량, ∠ **BCB'**: 교정 각도

Fast **C**heck
1. 질골 시 무릎을 경노 굴곡위로 해서 슬개건이나 슬와동맥 손상에 충분히 주의하여 실시한다.
2. 절골부위 개방(opening) 시에는 도수적으로 외반 스트레스를 주면서 서서히 절골부위를 개방하여 외측 피질골이 골절되지 않도록 주의한다.
3. 절골부위를 고정하는 플레이트는 ACL의 경골터널을 제작할 수 있도록, 가능한 후방에 설치한다.
4. 경골터널의 원위 개구부를 경골 절골부위의 근위로 나오게 해서, 절골부를 고정하여 스크류와 간섭하지 않도록 2개의 터널을 제작한다.

수술 술기

1 진단적 관절경

전외측 삽입구로부터 관절경을 삽입하여 관절 내를 확인한다. 반월판, 관절연골, ACL, 후방십자인대 (PCL)의 상태를 확인한다. 내측 반월판에 통증의 원인이 될 만한 병변이 있으면 봉합 또는 부분 절제를 한다. 외측 대퇴-경골관절에서 관절연골 및 외측 반월판이 손상되지 않은 것을 확인해야 한다.

> **코멘트** **NEXUS view**
>
> 하중이 외측으로 이동하므로 외측 관절 연골 및 반월판에 문제가 없는지 미리 확인한다.

2 접근법

거위발건의 가장자리를 따라 비스듬하게 횡으로 피부 절개를 한다. 슬개건 내측 가장자리까지 따라서 절개하여 경골조면의 슬개건 부착부를 확인해 둔다. 거위건의 부착부를 세로로 절단하고 뒤집어서 반건양건을 분리해 둔다. 내측 측부인대 천층은 박리하거나 예정된 절골선을 따라서 분리한다.

> **코멘트** **NEXUS view**
>
> 절골 시 필요하므로 경골조면의 슬개건 부착부를 잘 확인한다.

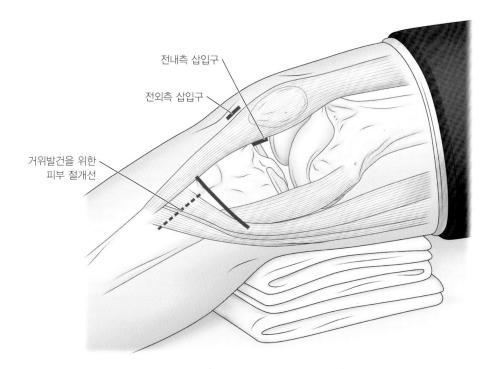

전내측 삽입구
전외측 삽입구
거위발건을 위한
피부 절개선

📷2 피부 절개

3 **이식건 채취 및 제작**

반건양근건 절단 부분에 비흡수사로 continuous running suture를 시행해서, tendon stripper를 이용하여 이식건을 채취한다. 근성분을 충분히 제거하고 반으로 절단한 후 절단된 두 개의 이식건 양단에 비흡수사로 continuous running suture한다. 각각의 이식건을 다시 이중으로 접어서 직경을 계측하고 pre-tension을 걸어 둔다. 원위부분을 전내측(AM) 다발의 이식건, 근위부분을 후외측(PL) 다발의 이식건으로 사용한다.

> **코멘트** **NEXUS view** ////
>
> 반건양건을 채취하기 전에 하퇴삼두근막에 분지하는 보조건을 잘라 둔다.

4 **경골 절골**

투시하에 경골의 관절면이 일직선으로 보이도록 무릎을 굴곡시킨다(대퇴 원위에 베개 등을 넣어서 조정한다). 경골 근위 내측 전방으로부터 비골두를 향해 2.4 mm 직경 가이드 핀을 삽입해서, 경골 외측 피질 1 cm 전에서 멈추게 한다 **▣ 3a** . 2번째 가이드 핀을 1번째 가이드 핀과 투시하에 겹쳐지도록 후방에 자리잡고 삽입한다. 이렇게 삽입한 2개의 가이드핀을 연결하는 선이 절골선이 되어 전방에서 경골 조면 상연을 통과하는 것을 확인해 둔다.

가이드핀의 원위측에서 chisel을 이용하여 절골한다. 전방 절골 시에는 슬개건이 손상되지 않도록 보호하면서 한다. Retractor를 이용해서 경골 후방 절골 시 슬와동맥이 손상되지 않도록 주의하면서 한다 **▣ 3b** .

> **코멘트** **NEXUS view** ////
>
> 절골 시에는 무릎을 경도 굴곡위 상태로 하여, 슬개건이나 슬와동맥 손상에 충분히 주의하여 실시한다.

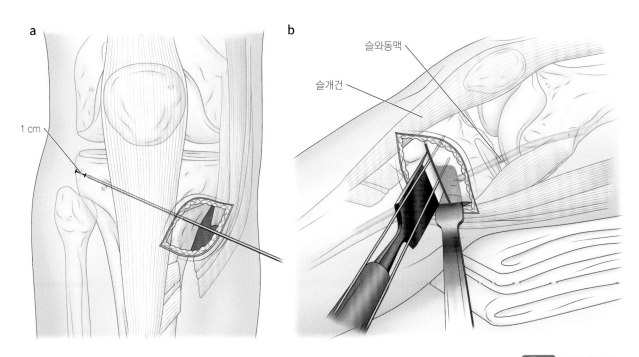

▣ 3 **경골 절골술**

a: 가이드 삽입
b: 절골술

5 절골부위 개방(open)

전방, 후방 각각의 피질골이 확실히 절골된 것을 확인 후, 절골부위에 도수적으로 외반 스트레스를 주면서 spliter 등을 이용해 서서히 절골부를 벌린다. 이때, 외측 피질골이 골절되지 않도록 주의할 필요가 있다. 수술 전 계획에서 평가한 개방량(opening gap)을 감안하여, 전면에서의 하지 정렬 상태를 확인한다 📷 4. Alignment rod를 사용하여 역학적 축의 슬관절에서의 통과 위치를 확인한다. 또한 측면에서의 경골의 후방 경사가 변화하였는지를 확인한다. 적절하게 열린 경우 일반적으로 전방보다 후방에서 열리는 양이 커진다.

> **코멘트**　**NEXUS view**　///
>
> 　도수적으로 외반 스트레스를 가하면서, 서서히 절골부위를 벌리면서 외측피질골이 골절되지 않도록 주의한다.

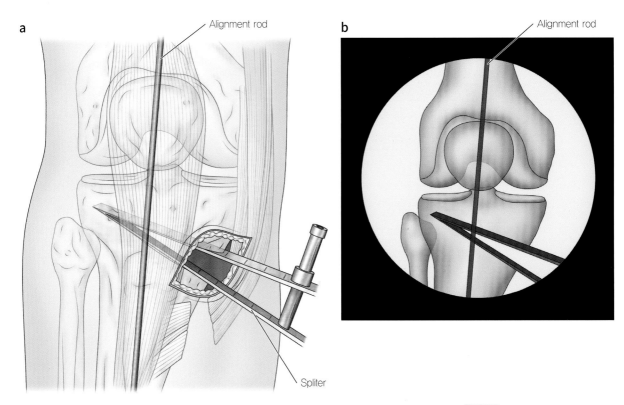

📷 4 절골부위의 개방(open)

수술 전 계획했던 교정 정도를 확인한다.

6 절골부위 고정

적절한 사이즈의 플레이트를 선택하고, 근위는 cancellous screw 2개, 원위는 cortical screw 2개를 이용하여 고정한다 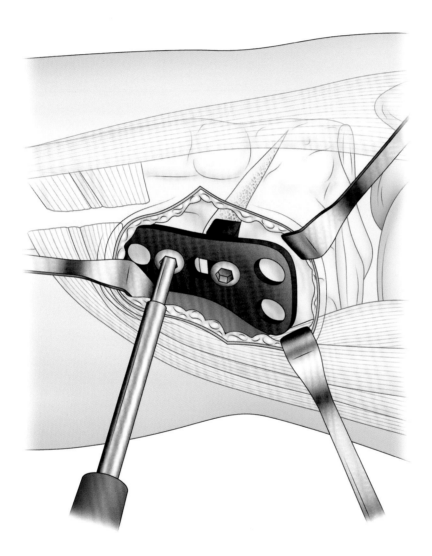5. Screw가 ACL의 경골터널과 간섭하지 않도록 plate는 가능한 후방에 설치한다. 절골 개방부에는 골이식재(Hydroxyapatite 또는 β-TCP)를 이식한다.

5 절골부위 고정

7 ACL 재건을 위한 터널 제작

대퇴골 측과 경골 측 ACL 부착부에 각각 2개의 터널을 만든다 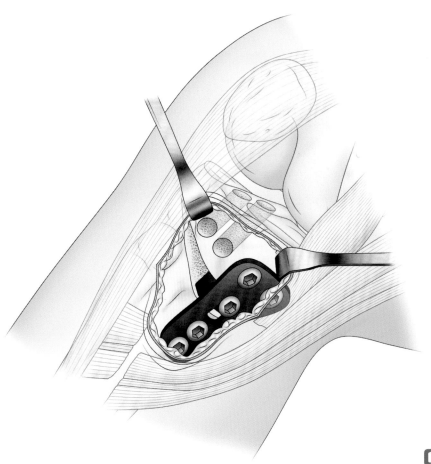6. 경골터널은 원위 개구부가 절골부 근위로 위치하게 하고, 절골부를 고정한 스크류와 터널이 서로 간섭하지 않도록 2개의 터널(전내측 터널, 후외측 터널)을 제작한다. 대퇴터널의 제작은 경골터널의 영향을 받지 않기 위해서 Transportal 법으로 한다. 대퇴골의 전내측 터널은 전내측 삽입구로부터 제작하고, 후외측 터널은 far medial portal로부터 제작한다.

> **코멘트** **NEXUS view** ///
>
> 경골터널은 원위 개구부가 경골 절골부 근위에 위치하게 하고, 절골부를 고정한 스크류와 간섭하지 않게 2개의 터널을 만든다.

📷6 ACL 재건을 위한 터널 제작

8 이식건 고정

이식건의 고정은 슬관절은 굴곡 15~20°로 하고, 각각의 이식건을 고정한다 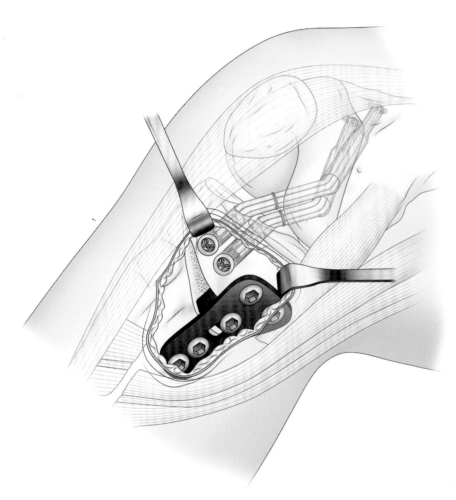7. 주로 사용하고 있는 고정장치로는 대퇴골측은 Position® Suture Plate (Aesculap), 경골측은 Position® Mini Suture Disc (Aesculap)를 사용한다. 이식건이 길어서 터널에서 나와버릴 경우에는 절골부 원위에서 post screw 고정을 한다.

그림7 이식건의 고정

9 수술 후 재활

수술 후에는 보장구를 착용시켜 신전위 고정상태로 하고 icing을 한다. 다음날부터 지속적 수동운동 (CPM)에 의한 가동범위 훈련, 대퇴사두근 세팅을 개시한다. 수술 후 3주차부터 부분 하중보행을 시작하고, 수술 후 5주차부터 전체 하중보행을 허가한다.

반월판 **II**

II. 반월판

내측, 외측 반월판 손상별 수술

젠슈카이 병원 **키무라 마사시(Masashi Kimura)**

Introduction

수술 전 고려 사항

- **적응증과 금기증**

  반월판 수술의 적응증은 비수술적 치료에 효과가 없이 지속되는 통증, locking (잠김증상), 신전제한, catching (걸림감) 등의 증상이다.

  MRI에서 반월판 내의 high signal이 반월판 표면에 이르는 변화(반월판 파열을 나타내는 Mink의 분류 Grade III)가 보여도 반월판의 전위가 없고, 동통이 적으면 비수술적 치료(대퇴사두근 훈련, 히알루론산 관절내 주사 등)를 계속해야 한다.

- **마취**

  기본적으로 근육이완 작용을 기대할 수 있는 전신마취로 수술을 시행한다. 하지만 요추마취, 경막외마취도 수술은 가능하다.

- **수술 체위**

  앙와위에서 내측 반월판(medial meniscus; MM)에 접근할 때는 수술대에서 하퇴를 아래로 하수한 상태에서 무릎에는 외반스트레스를 준다. 외측 반월판(lateral meniscus; LM)에 접근할 때는 하지를 수술대에 올리고 4자 모양(figure-4)을 만든다 **📷1**.

  지혈대는 감아두되 기본적으로는 사용하지 않으며, 반월판 봉합술 시에 관절 내부가 아니라 관절 외부에서 조작을 해야하는 경우 등에서 상황에 맞춰 사용한다.

수술 진행

1. 진단적 관절경
2. 손상의 분류에 따른 반월판 수술
   - 내측 반월판 퇴행성 파열
   - 내측 반월판 종파열(양동이 손잡이형 파열)
   - 반월판 수평 파열
   - 반월판 방사형 파열(radial tear), 판상 파열(flap tear)
   - 내측 반월판 경사로 파열(ramp lesion)
   - 내측 반월판 후근 파열(root tear)
   - 외측 원판상 반월판(LDM)
   - 반월판 전각·전절 파열
   - 외측 반월판 과다운동 (hypermobile meniscus)
3. 수술 후 재활
   - 반월판절제술의 재활요법
   - 반월판봉합술의 재활요법

Fast **C**heck

❶ 관절경을 통해서 명확한 수술 시야를 얻는 것이 중요하며 관절 내 구성체, 특히 관절연골을 보호하기 위해서 섬세한 조작을 해야 한다. .

❷ 절제술에서는 가능한 절제범위를 줄여야 한다. MM의 절제술의 결과에 대한 연구에 따르면, 부분 절제를 선택하더라도 시간이 경과하면 X선상 퇴행성 관절증(osteoarthritis; OA) 변화가 약 60%에서 발생한다.

❸ 봉합술에서는 슬와신경 혈관 다발에, 특히 LM 봉합술에서는 비골신경에 주의를 기울인다.

❹ 반월판 중심부 2/3 혹은 봉합이 어려울 것으로 예상되는 파열에서는 fibrin clot를 사용한다.

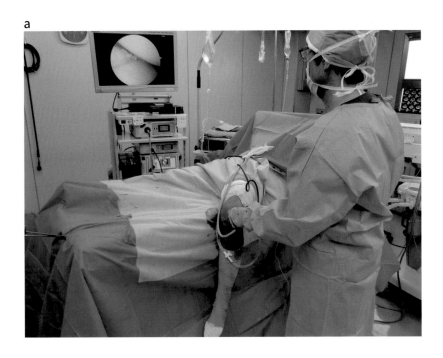

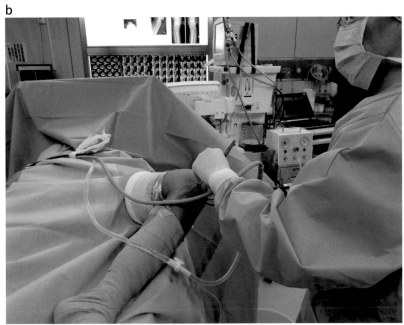

📷 1 수술 체위

a: MM 집근 시의 세위
b: LM 접근 시의 체위

수술 술기

1 진단적 관절경

관절경은 30° 관절경을 사용한다. 기본적으로 전외측 삽입구를 관찰 삽입구(viewing portal)로, 전내측 삽입구(내측 슬개하 천자에서 약 1 cm 내측에 위치)를 작업 삽입구(working portal)로 하는 2개의 삽입구를 만들어서, 관절경과 수술 도구의 삽입구 위치를 적절히 교체하면서 실시한다. 또한 MM 후각의 외측 주변을 보려고 할 때는 후내측 삽입구가 유용하다. 슬관절의 후방 혹은 전방 구획 관찰 시에 삼각법(triangulation)이 원활하게 이루어지지 않는 경우에는, 슬개골 하방극 1 cm 하방의 슬개건 중앙을 뚫어서 중앙 경슬개건 삽입구(central approach)를 사용하면 유용하다 📷2.

MM 후각을 관찰해야 할 때는 외반력을 가하면서 무릎 굴곡을 약 20°로 하면 시야가 넓어진다.

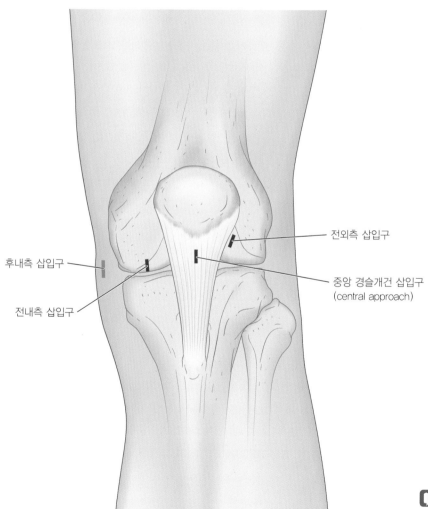

후내측 삽입구

전외측 삽입구

전내측 삽입구

중앙 경슬개건 삽입구
(central approach)

📷2 반월판 수술에 자주
사용되는 삽입구들

반월판의 외측면은 중간부에서 후각으로 이어지면서 대퇴골 내측과에 가려져서 일반적인 경우에 관절경으로 볼 수 없으므로 시야를 넓게 잡으면서, 프로브에 의한 촉진이 필수적이다. 또한 관절경을 전외측 삽입구에 위치하게 해서 대퇴골 내측과와 후방십자인대(posterior cruciate ligament; PCL) 사이로 관절경을 후방으로 이동시켜 후내측 구획을 관찰하는 transcondylar view를 통해서는, MM 후각 근처의 반월판과 경사로 파열(ramp lesion)을 발견할 가능성이 있다 📷3.[1] LM은 전체적인 형태를 쉽게 볼 수 있지만, 파열이 관찰되지 않더라도 hypermobile meniscus와 같은 반월판의 비정상적인 가동성이 증상을 일으키는 병태도 존재하므로 프로브에 의한 촉진이 필수적이다 📷4. 외측 원판상 반월판에서는 표면상으로 파열이 보이지 않으나, 실질부 내면에 수평 파열이나 경골측 파열이 존재하는 경우가 많으므로, 프로브 촉진 시에 대퇴골측 표면이 오목하거나, 연화(softening)되어 있다면, 파열을 의심해볼 수 있다.

코멘트 **NEXUS view**

전외측 삽입구는 낮은 위치(원위)에 만들어지기 쉬우므로 주의한다. MM 후각의 외측 주변은 후내측 삽입구나 transcondylar view로 전체를 파악할 수 있다.

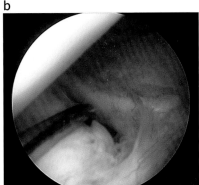
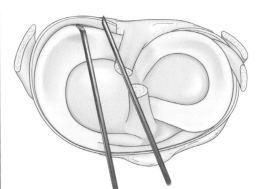

📷3 Ramp lesion (왼쪽 무릎)

a: 해부도(빨간색 선)
b: 관절경 소견

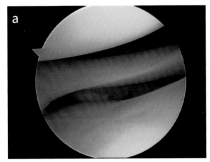
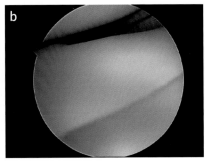
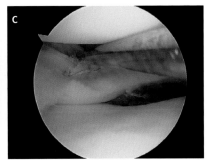
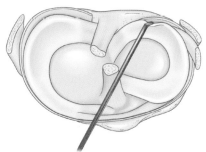

📷4 Hypermobile meniscus

a: LM 후각
b: 후각을 프로브로 당겨보면 대퇴골 외측과를 넘어온다.
c: 대퇴골 측, 경골 측에 각각 FAST-FIX™으로 고정을 했다.

2 손상의 분류에 따른 반월판 수술

반월판 파열은 여러 가지 손상 형태를 보이는데, 여기에서는 빈도가 높은 파열의 수술 술식에 대해 기술한다. MM, LM을 구분하지 않고 기술한 부분은 모두 같은 방법으로 행한다는 의미이다.

내측 반월판 퇴행성 파열

가장 기본적인 원칙은, 반월판 파열된 경우에 있어서 반월판을 가능한 보존하는 봉합술을 우선하고, 봉합술에 적응이 되지 않아서 절제술을 선택한 경우에는 절제 범위를 가급적 적게 하도록 노력한다는 것이다.

퇴행성 파열은 basket forceps으로 내측 가장자리에서부터 조금씩 절제(piecemeal excision)를 한다 📷5. MM 후각의 절제술은 수술 시야를 넓게 해서 대퇴골 및 경골 관절연골의 손상에 주의하면서 시행한다.

> **코멘트** **NEXUS view** ////
>
> 전내측 삽입구에서 basket forceps을 삽입할 때, 삽입구의 위치가 너무 높으면 경골 관절 연골을, 너무 낮으면 대퇴골 관절 연골을 손상시키기 쉽다. Spinal needle로 위치가 적절한지 확인하면서 삽입구를 만든다.

a

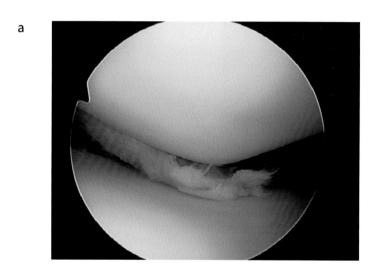

b

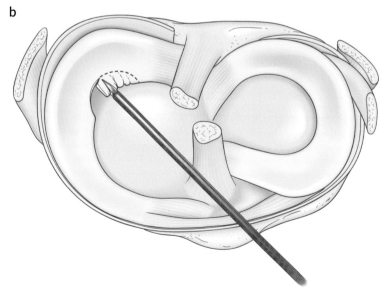

📷5 **MM 퇴행성 파열**

a: 관절경 소견
b: 도식적(schematic)으로 나타낸 절제술

내측 반월판 종파열(양동이 손잡이형 파열)

기본적으로 봉합술 적응증이다. LM에 비해서 MM에서 빈도가 높다. 반월판의 변성이 강하거나, 복합 파열이 되어 있을 때는 절제술을 선택해야 하는 경우도 있다.

① 절제술

Step 1: 후방 부착부 절제

관절경을 전외측 삽입구에, basket punch를 전내측 삽입구에 삽입하고 파열된(손잡이) 부분을 정복(reduction)시킨 상태에서 파열부위를 가급적 후각 근처에서 절제한다 **⑥**.

Step 2: 전방 부착부 절제

Basket punch로 전방 부착부위를 떼어낸다 **⑦**. 관절경은 전내측 삽입구에, punch를 전외측 삽입구로 각각 위치하게 하면 작업이 쉽다.

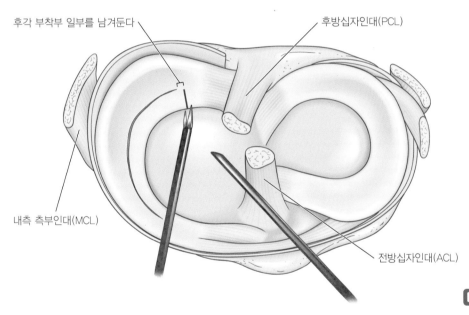

후각 부착부 일부를 남겨둔다

후방십자인대(PCL)

내측 측부인대(MCL)

전방십자인대(ACL)

⑥ Step 1: 후방 부착부 절제

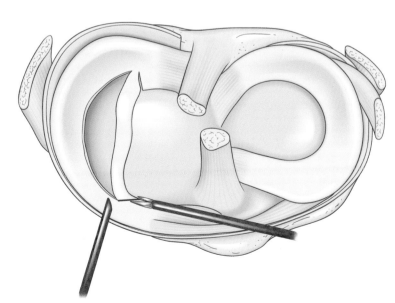

⑦ Step 2: 전방 부착부 절제

Step 3: Flap 적출

　　Flap을 확실하게 잡고, 겸자를 회전시켜 가면서, 일부 남은 후각부의 섬유를 잡아뜯어 적출한다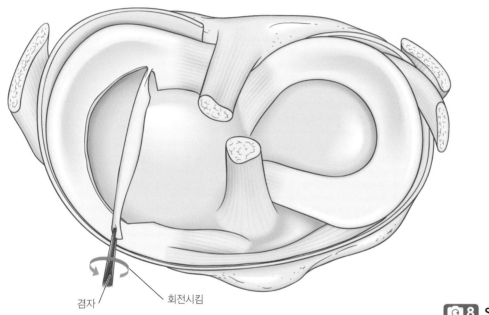8.

　　Flap 적출 후 필요에 따라 trimming을 실시한다.

코멘트 NEXUS view ///

　　　양동이 손잡이형 파열에서는 en bloc 분리·적출하는 것이 좋다. 후각의 분리가 어려울 때는 전방을 절제 후, central approach에 맞춰서 삼각법을 실행하면 후각 근처에서 분리할 수 있다.

겸자　　　회전시킴

📷8 Step 3: Flap 적출

② 봉합술

봉합술에는 Inside-Out법, Outside-In법, All-Inside법이 있는데, 가장 자주 사용하는 Inside-Out법에 대해 기술한다.

📷9 는 Inside-Out법에서 사용되는 도구 중에서 Henning meniscal suture device이다.

> 코멘트 **NEXUS view**
>
> 반월판 파열 부위에 따른 봉합술식의 선택은 📷10 과 같이 대략적으로 구분한다. 후각은 All-Inside법이 간편하고 안전하고 유용하다. 전각은 Outside-In법으로도 좋지만 커브의 곡률이 큰 Zone Specific® Cannula [CONMED]를 사용한 Inside-Out법도 효과적이다.

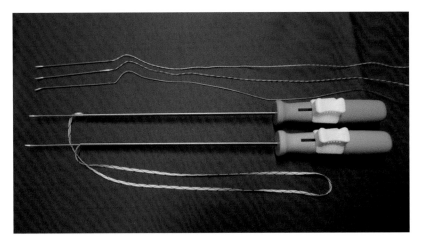

📷9 Henning meniscal suture device

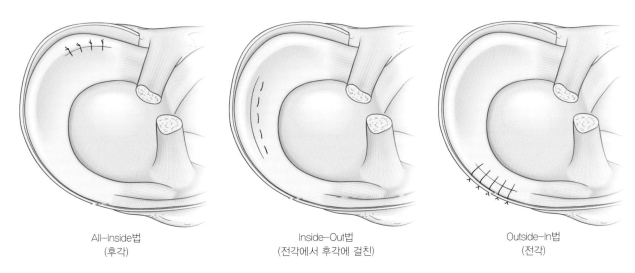

All-Inside법
(후각)

Inside-Out법
(전각에서 후각에 걸친)

Outside-In법
(전각)

📷10 반월판 파열 위치에 따른 봉합술의 선택

Step 1: 파열부 연마(abrasion)

파열부의 절단 부위가 부정확하거나 절단 부위에서 출혈이 없는 경우에는 그 내외연을 쉐이버나 겸자로 신선화를 위해서 연마한다.

Step 2: 봉합

지혈대를 사용해서, 내측 측부인대(medial collateral ligament; MCL) 후방에 관절선(joint line)을 중심으로 3~4 cm 세로 절개를 가하고 리트랙터를 삽입하여, 반막양건의 외측까지 깊숙이 리트랙터를 집어넣어서 바늘 끝이 나올 수 있는 공간을 확보한다. 이어서 관절경을 전내측 삽입구에서 삽입하고 전외측 삽입구에서 삽입한 바늘로 파열부위를 정복하면서 바늘을 관통시킨다 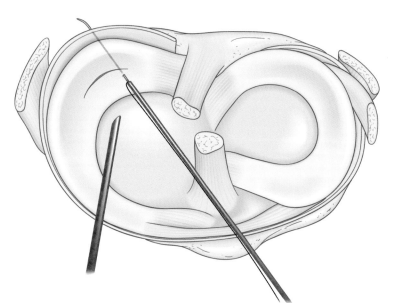11. 바늘 및 삽입관(cannula)은 주로 끝부분이 곡선으로 되어있는 것을 사용하며, 바늘 끝을 신경혈관다발이 존재하는 슬와부 중앙을 향하지 않도록 한다.

봉합사를 거는 간격은 3~5 mm 내외로 하며, 끝부분이 어긋나지 않으면서, 반월판 경골면으로 바늘을 겹쳐지도록 통과시켜 나간다(stacked suture) 12. 반월판에 바늘을 삽입할 때는 수직으로 찌르는 경우와 수평으로 찌르는 경우가 있는데 상황에 따라 구분한다.

Step 3: 봉합사 결찰

봉합사를 관절막 위에서 강한 장력 하에 결찰한다. 봉합사가 복재신경의 슬개하분지를 침범하지 않았는지 확인한다.

LM 수술 시에는 비골신경에 주의를 기울이고 외측 측부인대(lateral collateral ligament; LCL) 후방에서 장경대 후연과 대퇴이두근 사이에 4~5 cm 세로 절개를 가해 후방 관절막에서 비복근, 슬와근을 박리하여 비골신경을 대퇴이두근과 함께 후방으로 젖혀야 한다 13.

코멘트 **NEXUS view**

봉합술에서는 파열부의 신선화와 파열부위의 정복이 가장 중요하다. 바늘은 반월판의 반대쪽(예: 내측 반월판의 경우에는 전외측 삽입구)에서 찔러 넣어 슬와부 신경혈관다발을 피하도록 한다. LM에서는 비골신경을 대퇴이두근과 함께 안전하게 후방으로 젖혀야 한다.

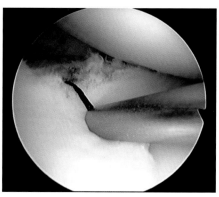

11 파열부위의 봉합을 위한 바늘 삽입

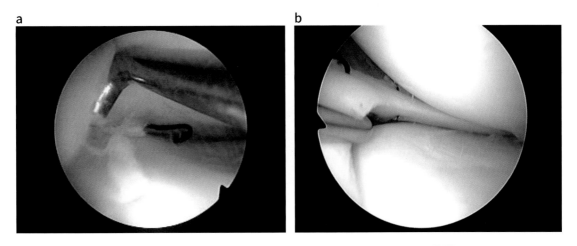

🎞12 Stacked suture

a: 경골면으로 바늘을 찔러 넣음
b: 봉합 후, 안정성이 좋은 것을 확인

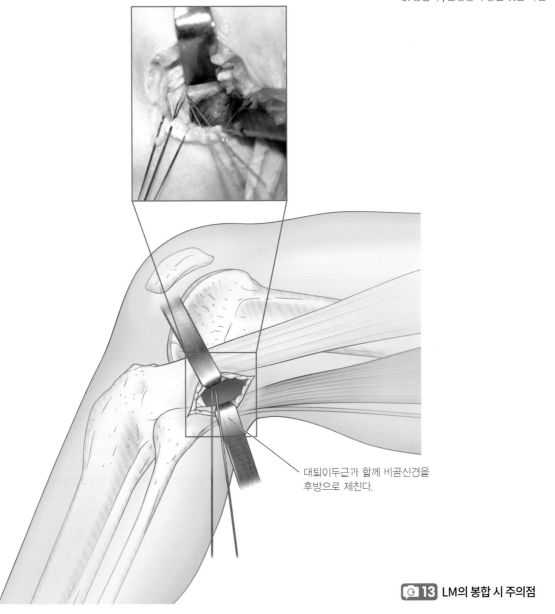

대퇴이두근과 함께 비골신경을
후방으로 제친다.

🎞13 LM의 봉합 시 주의점

③ Fibrin clot 제작 및 사용법

손상 형태와 관계없이, 파열이 중심부(반월판에서 혈행이 도달하지 않는)에 있을 때, 또는 반월판 실질부에 만성 변화가 진행된 경우에는 파열부에 fibrin clot을 채워서 봉합한다.

Step 1: 정맥혈 채취

환자의 전완 정맥에서 약 25 mL 채혈하여 끝을 막은 30 mL의 주사기 외통에 넣는다. 주사기 안에 넣은 정맥혈을 4 mm 직경의 스테인리스 스틱으로 약 10분간 부드럽게 섞는다 📷14a.

Step 2: Fibrin clot 제작

스테인리스 스틱 주변에 달라붙은 통(tubular) 모양의 fibrin clot을 Adson forceps을 이용해서 적출한다 📷14b, 절개해서 시트(sheet) 모양으로 펼쳐낸 후 길이를 3~5 mm 정도로 만들어서 사용한다. 만들어진 fibrin clot의 시트를 Henning의 double arm needle에 통과시키고, 실 중앙에 fibrin clot을 위치하게 한다 📷14c.[2] Fibrin clot을 채우고자 하는 부분에 잘 위치할 수 있도록, 적절히 double arm needle을 삽입한다.

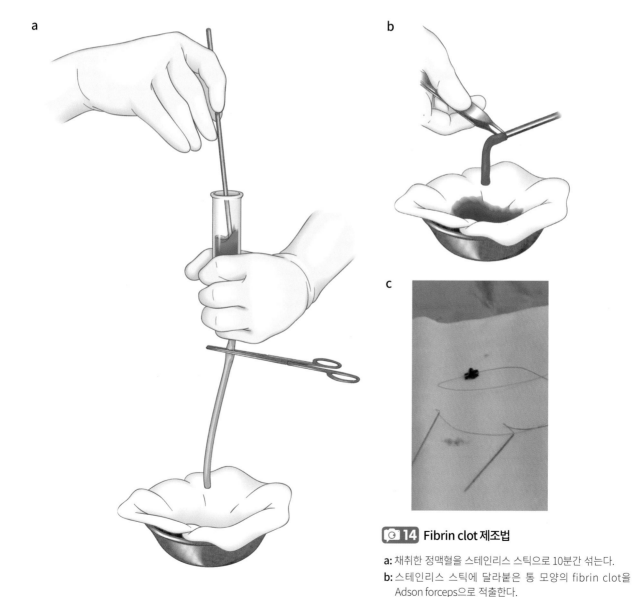

a

b

c

📷14 Fibrin clot 제조법

a: 채취한 정맥혈을 스테인리스 스틱으로 10분간 섞는다.
b: 스테인리스 스틱에 달라붙은 통 모양의 fibrin clot을 Adson forceps으로 적출한다.
c: 적절한 크기의 fibrin clot을 만든 후 double arm needle 을 병변부의 적절한 위치에 통과시킨다.

반월판 수평 파열

① 절제술

대퇴골측 혹은 경골측 flap의 변성이 강하게 진행된 경우에는 부분절제를 부득이하게 시행해야 하는 경우가 있다. 어느 한쪽만 변성이 강하거나 얇은 경우에는 그 부위만 one leaf resection을 실시할 수도 있다.

② 봉합술

수평 파열에서는 파열부를 넘어가듯이 대퇴골측, 경골측에 FAST-FIX™ (Smith & Nephew사), 혹은 바늘을 Inside-Out 방식으로 파열 부위에 봉합사를 수직으로 걸어놓은 뒤, 미리 제작해 놓은 fibrin clot을 관절경 겸자 등을 이용하여 파열부위에 채운다. 그 후 봉합사를 결찰하여 봉합을 완성시킨다 📷15.[2] Fibrin clot을 double arm needle에 미리 꿰어놓고 봉합과 동시에 파열부위를 채우는 방법도 있다.

> 코멘트 **NEXUS view** ///
>
> 반월판 수평파열에서는 내측 가장자리 부분이 변성된 경우가 많으며, 이때 변성 부분을 절제하고, 남은 파열부위에 fibrin clot을 삽입하여 봉합한다. 외측 원판상 반월판에 수평 파열이 있는 경우도 마찬가지이다.

a

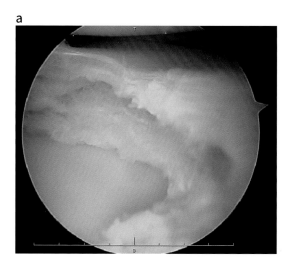

b

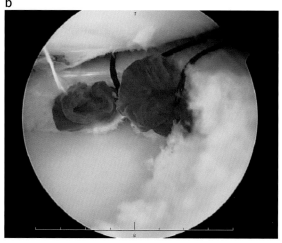

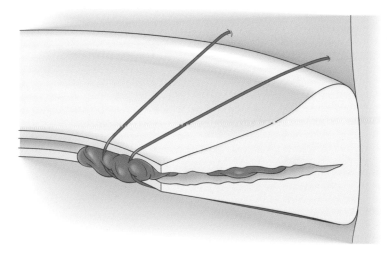

📷15 **수평 파열에 대한 봉합**

a: LM 수평 파열

b: 수직봉합으로 fibrin clot을 파열부에 채운다.

반월판 방사형 파열(radial tear), 판상 파열(flap tear)

파열이 중간부(midbody) 내측이면서 작은 파열일 경우에는 절제한다. 하지만 파열이 반월판 너비(가로직경)의 1/2을 초과할 때에는 봉합술이 바람직하다. 봉합 시에 fibrin clot을 파열부에 채운다.

① Tie grip suture[3]

Tie grip suture 방식은 반월판이 방사형으로 파열된 경계부위(edges of the tear site) 양측에 한 쌍씩 대퇴측과 경골측에 평행하게 수직봉합(vertical sutures)으로 실을 걸고, 관절 외부로 나온 실을 조작해서 파열 부위를 최대한 근접시킴으로써 관절 내에서의 봉합을 용이하게 하는 방식이다. 근접한 반월판을 Inside-Out 술기로 Henning 바늘을 이용해서 수차례 수평하게(horizontal) 봉합한다. 이때 파열부위를 fibrin clot으로 채운다 📷16.

② FAST-FIX™에 의한 봉합

LM 후각부 파열에서는 본 방법이 효과적이다. 양측 파열단에 FAST-FIX™으로 봉합사를 걸고 봉합하기 전에 파열부에 fibrin clot을 삽입하고 이를 눌러가면서 봉합사를 체결한다 📷17.

> **코멘트 NEXUS view** /////
>
> 반월판 방사형 파열은 봉합이 기술적으로 어려우므로 fibrin clot을 이용하는 것이 좋다. 수술 후 재활요법도 다른 파열 봉합보다 신중해야 한다.

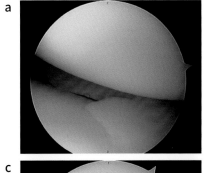
a

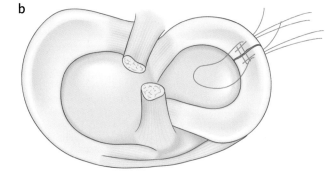
b

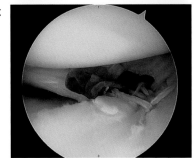
c

📷16 **방사형 파열에 대한 봉합**

a: LM 방사형 파열
b: Tie grip suture 모식도
C: Tie grip suture 하면서 fibrin clot을 파열부에 충전하여 봉합한다.

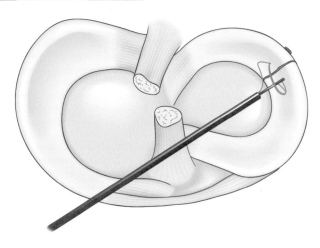

📷17 **방사형 파열에 대한 FAST-FIX™에 의한 봉합**

내측 반월판 경사로 파열(ramp lesion)

Ramp lesion은 전방십자인대(anterior cruciate ligament; ACL) 파열의 약 30%에서 합병[1]되므로 진단할 때 놓치지 않도록 주의가 필요하다. Transcondylar view로 관절경으로 보면서 suture hook을 후내측 삽입구에서 삽입한다.

Step 1: Suture hook의 파열부 통과

후내측 삽입구에서 삽입한 rasp를 통해 파열부위를 연마(abrasion)한다. 이어 적절한 만곡의 suture hook을 파열된 연골판 후각의 내측부에서 찔러넣어서 관통하고, 그대로 hook을 쥔 채로 회전력을 가해서 관절막 부위까지 관통할 수 있도록 한다. 통과되어 tip이 보이게 되면 PDS 봉합사를 통과시킨다 📷 18a, b.

Step 2: 봉합사 도입과 결찰

Suture hook에 통과 시킨 2–0 PDS 봉합사에 2–0 FiberWire® (Arthrex) 등의 높은 강도를 갖는 실로 suture relay를 한다.

Relay한 실을 관절 밖으로 유도하는데, knot (결절)를 만들기 전에 실이 활막에 얽히는 경우가 있으므로 겸자로 2개의 실을 모아서 끌어당긴다. Sliding knot를 만들어 여러 차례 결찰한다 📷 18c. 실이 풀리기 쉬우므로 주의한다.

> **코멘트 NEXUS view** ///
>
> Suture hook으로 반월판에 관통이 잘 되지 않을 때에는 부가적으로 grasper나 프로브로 반월판을 눌러서 한다. 결찰하는 실이 관절 내에서 활막과 얽히기 쉬우므로 각각의 실을 끌어당겨 놓는다.

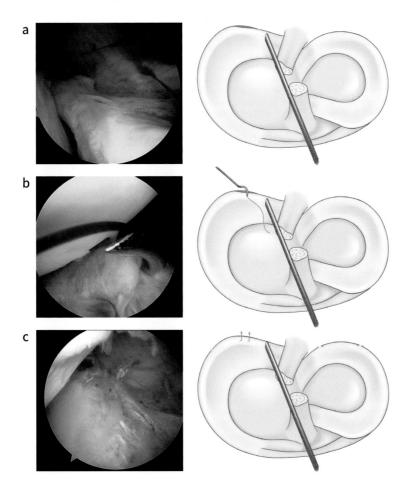

📷 **18 MM ramp lesion**

a: 파열부

b: PDS 봉합사를 suture hook을 통해 파열부를 통과시킨다.

c: FiberWire®로 결찰

내측 반월판 후근 파열(root tear)

비교적 고령(45세 이상)의 여자 환자들에게서 많이 나타나는 MM 후각의 avulsion tear 혹은 그와 유사한 방사형태의 파열이다. 무릎이 뒤틀리는 등의 경미한 외상(minor trauma)으로 발병하는 경우가 많고 반월판 퇴행성 파열보다 자발통이 강하다. 이러한 후근 봉합술(root repair)은 FTA (femorotibial angle; 슬외측각)가 180° 이상의 내반 변형이 있는 경우에는, 내측 대퇴-경골 관절 간격이 좁아서 적응증에 해당되지 않는다.

Step 1: 파열부 연마(abrasion)

처음에는 MM 후근(root)을 쉐이버, 겸자로 연마한다. 또, 경골의 MM 부착부의 연골을 큐렛으로 제거한다.

Step 2: 터널 제작

전외측 삽입구에서 ACL 재건술에 사용하는 경골용 드릴가이드를 root 부착부에 대고 2.4 mm 직경 Kirschner 강선(K-wire)을 경골조면의 외측에서 삽입한다. 이어서 4.5 mm 직경의 드릴로 오버드릴한다.

Step 3: Root의 pull-out

Suture hook을 이용해 root에 2-0 PDS 봉합사를 통과시켜, 실의 양끝을 관절 밖으로 꺼낸다. 이것을 2-0 FiberWire® 같은 강도가 강한 실로 묶어서, suture relay ⏴19⏵하여 FiberWire®를 MM의 경골 부착부 4.5 mm 지름의 터널에 통과시켜 경골 전면으로 당긴다. 반월판 후각 및 후근의 안정성을 확인하고, 경골 피질위에 FiberWire®를 ENDOBUTTON® (Smith & Nephew) direct 혹은 DSP® (Meira)에서 가급적 강한 tension으로 고정한다 ⏴20⏵.

> **코멘트** **NEXUS view**
>
> 반월판이 변성되어 있으면 실이 반월판을 찢어버릴(cutting through) 위험이 있다. 그러므로 반월판 실질부의 상태(quality)가 불량한 경우에는 실을 2개 거는 것이 좋다.

a
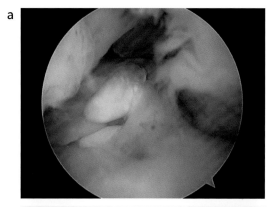

b
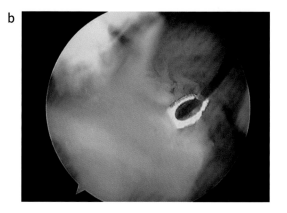

c
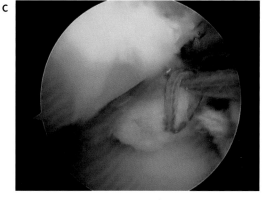

📷19 **MM root tear**

a: MM 후근 파열
b: Suture hook으로 후근에 실을 통과시킨다.
c: FiberWire®로 후근을 확실하게 잡는다.

a

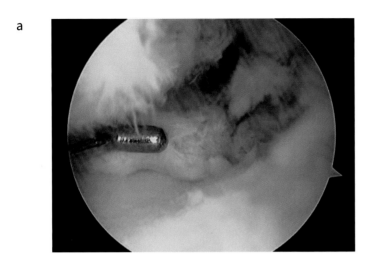

b

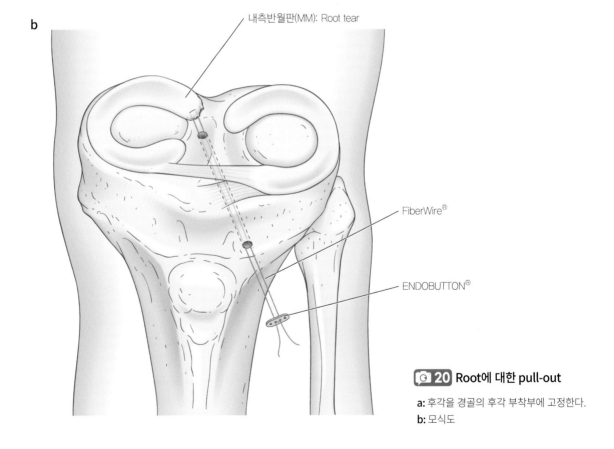

내측반월판(MM): Root tear

FiberWire®

ENDOBUTTON®

📷 20 Root에 대한 pull-out

a: 후각을 경골의 후각 부착부에 고정한다.
b: 모식도

외측 원판상 반월판(LDM)

외측 원판상 반월판(lateral discoid meniscus; LDM)은 수평파열이 중간부의 외측 가장자리까지 나타
나는 경우가 많으며, 과거에는 수평파열이 없을 것으로 예상되는 곳에서 한 덩어리로 해서 적출하였으
나, 현재는 내측 가장자리에서부터 piecemeal excision으로 수평파열을 일부 남기고, 거기에는 fibrin
clot을 충전하여 봉합 수복을 하고 있다. 즉, 수평파열과 같은 술기가 된다.

반월판 전각·전절 파열

발차기(kicking)를 하는 축구선수들에게서 종종 나타나는 파열이다. 주사바늘 등을 이용하여
Outside-In법으로 해도 좋으나, Zone Specific Cannula를 이용하여 Inside-Out법으로 행하면 쉽
게 봉합할 수 있다. 파열면이 잘 밀착되지 않을 경우에는 fibrin clot을 파열부위에 충전한다.

외측 반월판 과다운동(hypermobile meniscus)

LM 후각의 종파열에 준하여 봉합한다. 봉합술이라기보다 반월판 제동술이라고 하는 것이 적절할
것이다(📷4 참조).

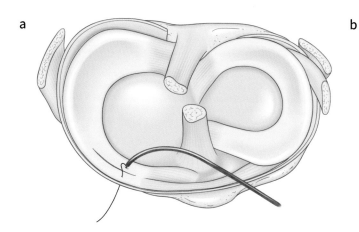
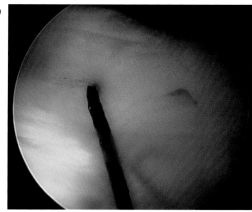
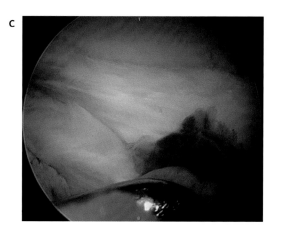

📷21 **반월판 전각·전절 파열**

a: Zone Specific Cannula를 이용한
needle 삽입
b: 봉합사를 건다.
c: Fibrin clot을 파열부에 충전

3 수술 후 재활

반월판절제술 후 재활요법

수술 후는 다음날부터 대퇴 사두근 훈련, 관절가동범위 훈련, 하중 훈련을 시작한다. 스포츠는 수술 후 1개월부터 서서히 시작하며 스포츠 복귀는 증상과 MRI에서의 골수 내 signal 변화 여부를 보고 결정한다. 통상은 수술 후 2∼3개월 안에 복귀된다. 하지만 조기 스포츠 복귀를 시키면 절제 부위의 골괴사, 또 LM에서는 rapid chondrolysis를 일으킬 위험도 있으므로 스포츠 복귀를 서둘러서는 안 된다.

반월판봉합술 후 재활요법

수술 후에는 무릎 굴곡 20°의 실린더 캐스트로 고정하고, 수술 후 4주간의 고정과 하중 부하를 시키지 않는다. 조깅 등 가벼운 스포츠는 수술 후 3개월, 경기 스포츠는 수술 후 4개월부터 허가한다. ACL 재건한 경우에서는 ACL 재건술의 재활치료 프로토콜에 따른다.

반월판 방사형 파열에 대한 복구술, 또는 fibrin clot을 파열부에 이식한 경우 스포츠 복귀는 신중하게 하도록 하고 통상적인 경우보다 1∼2달은 늦추는 것이 좋다.

참고문헌

1) 畑山和久, 木村雅史, 生越敦子, ほか. ACL損傷に合併する内側半月板後角の関節包付着部断裂 (ramp lesion) の特徴. 第5回日本関節鏡・膝・スポーツ整形外科学会. 2013.札幌.

2) Kamimura T, Kimura M. Repair of horizontal meniscal cleavage tears with exogenous fibrin clots. Knee Surg Sports Traumatol Arthrosc. 2011;19:1154-7.

3) 中田　研, 前　達雄. 半月板修復術の適応拡大と術式の工夫. スキル関節鏡下手術アトラス 膝関節鏡視下手術. 吉矢晋一編. 東京:文光堂:2010. p252-63.

4) 木村雅史著. 半月板縫合術. 失敗しない膝関節スポーツ外傷の手術. 東京:医学と看護社:2014. p40.

5) 生越敦子, 木村雅史, ほか. 手術治療を施行した内側半月板後角横断裂の治療成績. 第5回日本関節鏡・膝・スポーツ整形外科学会. 2013. 札幌.

II. 반월판

원판상 반월판 손상에 대한
성형 · 봉합술

오사카시립대학 대학원 의학연구과 정형외과학 **하시모토 유스케(Yusuke Hashimoto)**

Introduction

수술 전 고려 사항

● 적응증과 금기증

원판상 반월판에 대한 수술 적응은 운동 시 통증, 가동범위 제한(특히 신전제한), 단발음(click), 걸림(locking) 등이지만 신전제한이 있어도 경과 관찰 중에 소실되는 경우가 종종 있기 때문에 외측 원판상 반월판에 대한 수술 적응은 통증 또는 신전 제한이 '지속'되는 경우라고 보고 있다. 무증상의 원판상 반월판에 대해서 예방적 절 제술은 실시하지 않는다.

원판상 반월판의 분류는 관절경 소견에 따른 와타나베 분류(Watanabe classification)가 유명하며, ① 완전 원판상, ② 불완전 원판상, ③ Wrisberg형으로 분류되지만, 치료방침의 선택에 영향을 주지는 않는다. 최근 수술 전 진단기술의 향 상에 따라 반월판 변연부의 불안정성 판정력이 높아지고, 파열 부위를 확인하는 것 이 가능해진 것과, 수술 기구의 개량 등에 의해 수술 기술이 향상됨에 따라 와타나 베 분류에 관계없이 중심부 반월판 절제(saucerization; 통상 소파술) 후에도, 전방 변 연 손상에 의한 불안정성 또는 후방 변연 손상에 의한 불안정성을 보이는 경우, 봉 합술을 추가하는 방법이 한창 시도되고 있다 █Q1█. 저자들은 █Q2█에 나타낸 방식 으로 수술을 실시하고 있다.

반월판 내의 수평파열에 대한 치료법은 합의가 이루어지지 않았지만, 반월판의 두께가 유지되지 않을 경우에는 적극적으로 수평파열을 봉합하고 있다.

● 마취

성인의 경우 전신마취, 요추마취 중 어느 쪽이라도 수술은 가능하지만, 소아의 경 우에는 전신마취로 수술을 한다.

● 수술 체위

앙와위 혹은 leg holder를 이용해서 시행한다. 반월판 봉합 시 조수 공간이 확보 되기 쉽게 저자들은 반대쪽 하지를 lithotomy 포지션을 취하게 하는 것을 선호한다. 지혈대는 준비하지만, Inside-Out법에 따른 외측 관절 외 접근 시에만 사용하고 있 다.

수술 진행

1 진단적 관절경

2 중심부 반월판 절제(saucerization)

3 반월판 전각 봉합
 · Outside-In법
 · All-Inside법
 · 중심부까지 손상 범위가 확대된 경우

4 후각 봉합
 · 외측 피부 절개

5 수술 종료 전 확인

6 수술 후 재활

원판상 반월판 손상에 대한 성형·봉합술

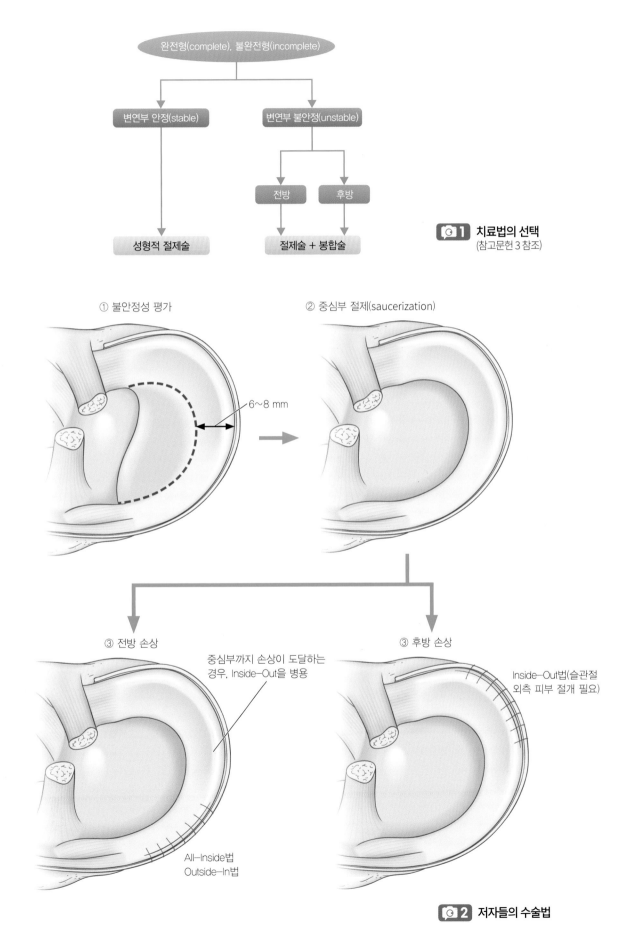

완전형(complete), 불완전형(incomplete)

변연부 안정(stable)

변연부 불안정(unstable)

전방

후방

성형적 절제술

절제술 + 봉합술

1 **치료법의 선택**
(참고문헌 3 참조)

① 불안정성 평가

② 중심부 절제(saucerization)

6~8 mm

③ 전방 손상

중심부까지 손상이 도달하는
경우, Inside-Out을 병용

All-Inside법
Outside-In법

③ 후방 손상

Inside-Out법(슬관절
외측 피부 절개 필요)

2 **저자들의 수술법**

수술 술기

1 진단적 관절경

관절경은 4.0 mm 직경의 30° 관절경을 사용하는데, 성장기 환자의 수술에서는 작업 공간(working space)이 좁고 연골손상의 우려가 있기 때문에 2.7 mm 직경 관절경을 사용하기도 한다. 전외측(AL) 및 전내측(AM) 삽입구를 제작하고, 전외측 삽입구에 관절경을 두고 관절 내를 관찰한다. 반월판의 과다운 동(hypermobile)이나 전각의 변연부 파열 등에서는 전내측 삽입구에서 관찰하는 것이 용이하다. 후각 의 변연부 파열은 슬와근 열공의 확대가 수반되는 경우가 많기 때문에 전외측 삽입구에서 관절경을 두 고, 슬관절을 신전위에서 경도 굴곡위로 만들면서 외측 구(lateral gutter)에서 슬와근막 열공을 관찰하여 postero-superior popliteomeniscal fascicles나 antero-inferior popliteomeniscal fascicles의 유무, 파열을 확인한다 📷3.

a

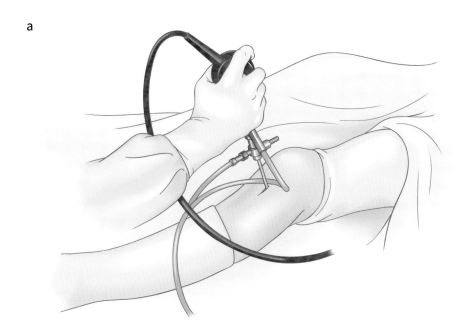

Postero-superior popliteomeniscal fascicles

b

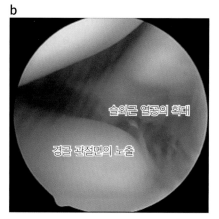

슬와근 열공의 확대

경골 관절면의 노출

c

Antero-inferior popliteomeniscal fascicles

📷 3 관절경에 의한 평가

a: 신전위, 외측 구에서 바라본 슬와근 열공
b: 불안정 소견
c: 정상 소견

코멘트 **NEXUS view**

　전외측 삽입구는 약간 근위에 제작하면 수술 시야를 확보하기 쉽다. 반월판 봉합이 필요할 가능성이 있으므로 전내측 삽입구는 슬개건 가장자리에서 손가락 너비의 절반 정도를 내측으로 이동해서 제작하는 것이 좋다 (사진 4).

봉합술의 적응증

　원판상 반월판의 후각 불안정성을 수술 중에 판단하는 것은 의외로 어렵다. 저자들은 프로빙 이외에 외측 구에서의 관절경 소견으로 슬와근 열공의 확대 여부와, 내측에서 관절경으로 관찰하여 후방에서 후각과 관절막의 연속성을 참고하고 있다. 특히 경골 관절면이 전부 노출되는 증례나, 쉽게 슬와근 열공이 벌어지는 증례도 (사진 3b)에는 반월판 불안정성일 가능성이 있어서 적극적인 봉합술을 시행하고 있다.

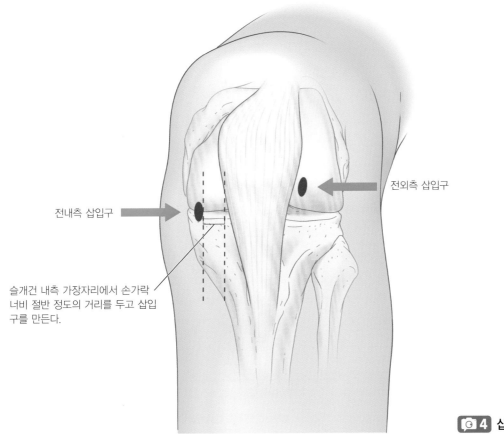

전내측 삽입구

전외측 삽입구

슬개건 내측 가장자리에서 손가락 너비 절반 정도의 거리를 두고 삽입구를 만든다.

📷 4 삽입구의 제작

2 중심부 반월판 절제(saucerization)

전내측 삽입구에서 가위(arthroscopic scissor)나 바스켓 겸자로, 가능한 전방 부분에서 절제한다 〔📷 5a〕. Piecemeal excision로 절제하는 것이 잔존 반월판의 크기를 계측해가면서 절제한다. 중심부와 후각에서는 과도하게 절제가 되기 쉬우므로 주의를 필요로 한다. 어느 정도 절제가 된 시점에서 후각의 손상이 없는지 상태를 재차 확인한다. 전각 부분이 크게 튀어나와 시야를 방해하는 경우에는 전각은 잔존량이 많을 가능성이 있으므로 duckbil을 이용해 전각을 절제한다. 저자들은 수술 중 후각 8~10 mm, 열공(hiatus) 부분 6~8 mm, 중심부 6~7 mm, 전각 8~9 mm를 목표로 하고 있다 〔📷 5b〕. 부분 절제술에 의해 수평파열이 노출되는 성인 증례에서는 Fast-Fix™ (Smith & Nephew Endoscopy)를 이용하여 파열 개구부를 봉합한다 〔📷 6〕.

> **코멘트 NEXUS view**　／／／
>
> 반월판 절제술 시작할 때 펀치생검 겸자(punch biopsy forcep)가 들어가울 어려울 때가 있다. 그 때는 duckbil로 전각을 일부분 절제하면, 그 후의 절제가 용이해진다.

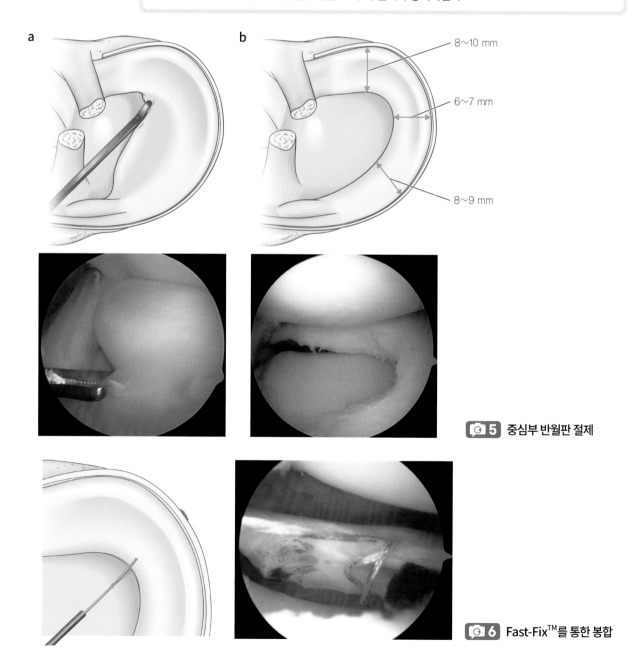

a

b

8~10 mm

6~7 mm

8~9 mm

📷 5 중심부 반월판 절제

📷 6 Fast-Fix™를 통한 봉합

3 반월판 전각 봉합

전각에 손상이 국한된 경우는 Outside-In법 혹은 All-Inside법으로 반월판 봉합을 한다.

Outside-In법

18G 바늘을 이용해 2-0 monofilament를 루프 모양으로 세팅한다. 피부에 직접, 혹은 피부를 절개하고 피하에서 천자하여 반월판의 경골 쪽으로 통과시킨다. 또 다른 18G 바늘을 이용하여 2-0 비흡수사를 세팅한 후 대퇴골측으로 반월판을 통과하여 2-0 monofilament의 루프에 통과시켜 suture relay를 시행한다. 피부에 직접 천자했을 때는 모스키토로 천자부위를 확대한 후 피하 터널에서 실을 한쪽으로 당겨 피하에서 봉합 시킨다. 보통 4바늘 정도의 봉합을 한다 📳7.

> **코멘트** **NEXUS view** //////
>
> 능숙한 관절경 기술이 필요하기 때문에 경험이 부족한 경우에는, 여러번의 피부 천자를 피할 수 없는 경우가 있다. 천자부위가 늘어나면 천자부위의 창상감염이 우려되므로 봉합부위를 확인해서 조금이라도 짧게 절개할 것을 권장한다. 관절경 펌프를 사용하고 있는 경우, 수압에 의해 18G 바늘에 통과시킨 2-0 비흡수사가 빠져버리는 경우가 있으므로 루프에 통과시키는 작업을 하고 있을 때는 관절경 펌프에 의한 수압이 관절 내로 가해지지 않도록 주의한다.

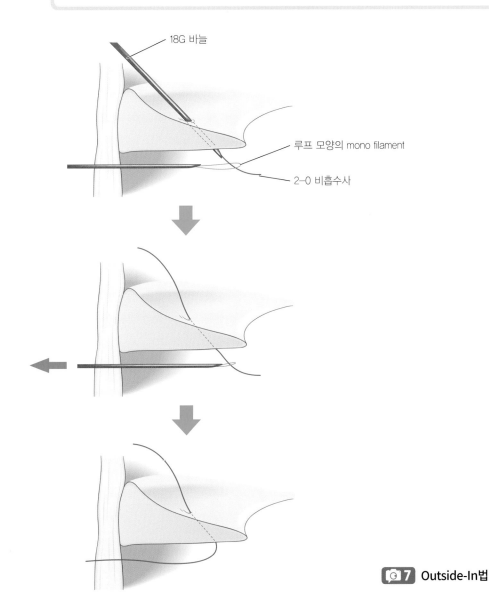

18G 바늘

루프 모양의 mono filament

2-0 비흡수사

📳7 Outside-In법

All-Inside법

저자들은 관절 내에서 봉합이 완료되는 All-Inside법을 주로 선택하는데, 봉합의 범위는 제한적이다
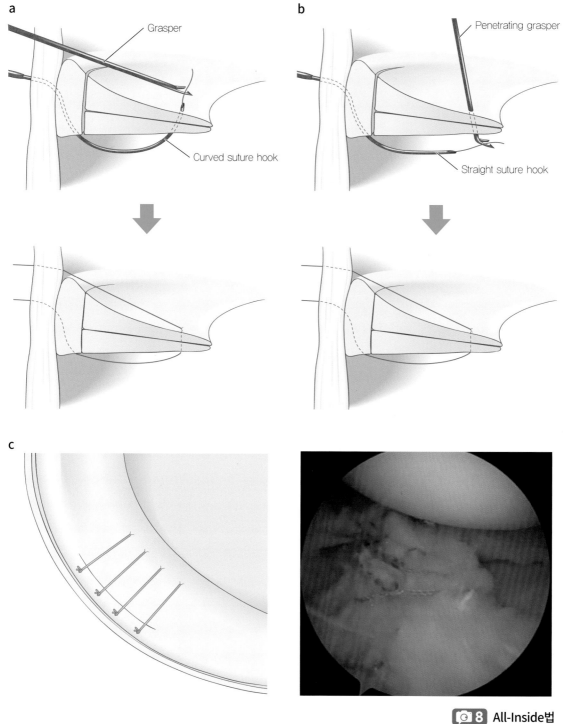8. 삽입구 부위 주위에서 straight suture hook에다가 2-0 monofilament를 세팅하여 관절막을
뚫고 이어서 반월판을 경골 쪽에서 뚫고 올려서 대퇴골 쪽으로 hook의 끝을 내민다. 2-0 비흡수사로
suture relay를 실시하고 관절 내에서 봉합한다. 저자들은 navy knot에 의한 sliding knot technique
을 즐겨 이용하고 있다.

📷8 All-Inside법

중심부까지 손상범위가 확대된 경우

중심부까지 파열이 미치는 경우에는 23G spinal needle을 이용하여 부위를 찾아내서, 약 1∼2 cm 를 반월판 중심부에서부터 절제하고, Inside–Out법 혹은 suture hook과 penetrating grasper를 이 용해서 봉합한다 **⊙9**.

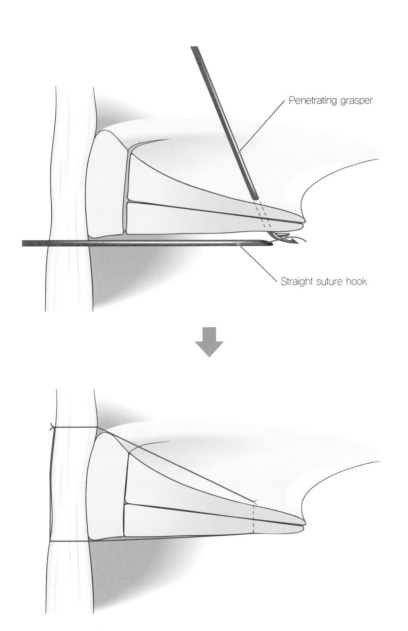

Penetrating grasper

Straight suture hook

⊙9 중심부 봉합

4 후각 봉합

Inside–Out법을 이용한다.

외측 피부 절개

외측 측부인대(LCL)를 따라 약간 후방으로 3~4 cm 세로 절개를 한다 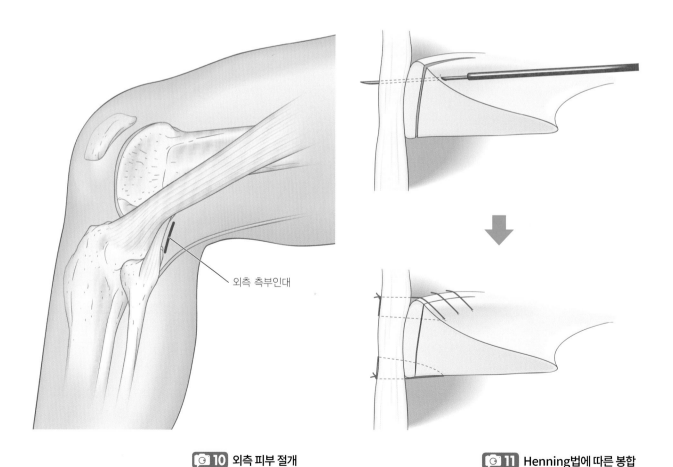10. 장경대에서부터 피부 절개를 따라 절개하면서 외측 측부인대를 확인, 그 후방을 박리하고 비복근 외측두와 관절막 사이에 리트렉터를 삽입하여 비골신경을 보호한다.

> **코멘트** **NEXUS view** /////
>
> Figure-4 자세를 하면 LCL을 쉽게 촉지할 수 있어 해부학적 위치를 쉽게 파악할 수 있다. LCL의 후방 박리 시에는 LCL의 비골 부착부 후연에서 약간 원위쪽으로 모스키토로 박리하면 다른 부위와 구별되는 영역을 찾을 수 있고, 그 부위가 비복근 외측두와 관절막 사이 공간이 된다.

저자는 Stryker사의 retractor, cannula, 반월판용 봉합사를 이용하고 있다(Henning법). 대퇴골측과 경골측을 2~3 mm 간격으로 순차적으로 봉합한다. 수평 파열이 있는 경우에는 파열부가 닫히도록 봉합한다 11. 반월판 봉합하면 전각이 당겨져 전각의 반월판 잔존량이 커질 수 있으므로 이 경우에는 봉합 후에 전각 절제를 추가하여 최종적으로 너비를 8 mm 정도로 한다.

외측 측부인대

10 외측 피부 절개　　　　11 Henning법에 따른 봉합

5 수술 종료 전 확인

반월판 성형적 절제술 혹은 성형 + 봉합술을 마치고 나서는 전내측 삽입구에서 관절경으로 관찰하면서 무릎 신전–굴곡 혹은 McMurray 테스트에서의 반월판의 안정성을 확인한다. 특히 반월판성형술의 경우, 반월판의 과다운동(hypermobile)이 잔존하는 경우가 있을 수 있으므로, 반월판절제술을 추가하거나 혹은 변연부 파열이 없더라도 반월판봉합술을 추가해서 반월판을 안정화시킬 필요가 있다.

6 수술 후 재활

성형적 절제술을 실시했을 경우는 특별히 관절을 고정하지 않고, 가능한 대로 관절가동범위 훈련, 하중보행을 시작한다.

관절 종창이 없는 것이 확인되고 수술 후 2개월부터 조깅을 허가, 수술 후 3개월부터 운동제한을 해제한다. 성형적 절제에 봉합을 추가했을 경우는 일주일의 슬관절 보조기 고정 후에 관절가동범위 훈련을 실시한다. 3주에 부분 하중부하를 시작, 6주 전체 하중으로 하고, 수술 후 3개월부터 조깅 허가, 수술 후 6개월에 운동제한을 해제한다. 관절 종창이 나타날때마다, 운동제한을 일시적으로 가한다.

참고문헌

1) Watanabe M, author. Atlas of arthroscopy. 1st ed. Tokyo:Igaku-Shoin;1978. p88. 渡辺正毅著. 関節鏡視アトラス. 第1版. 東京:医学書院;1980. p88.
2) Ahn JH, Lee YS, Ha HC, et al. A novel magnetic resonance imaging classification of discoid lateral meniscus based on peripheral attachment. Am J Sports Med. 2009;37:1564-9.
3) Good CR, Green DW, Griffith MH, et al. Arthroscopic treatment of symptomatic discoid meniscus in children:classification, technique, and results. Arthroscopy. 2007;23:157-63.
4) Ahn JH, Lee SH, Yoo JC, et al. Arthroscopic partial meniscectomy with repair of the peripheral tear for symptomatic discoid lateral meniscus in children:results of minimum 2 years of follow-up. Arthroscopy. 2008;24:888-98.

II. 반월판

돌출(extrusion)된 외측 반월판에 대한 관절경 Centralization 수술법

도쿄의과치과대학 대학원 의치학종합연구과 운동기외과학 **코가 히데유키(Hideyuki Koga)**
도쿄의과치과대학 대학원 의치학종합연구과 운동기외과학 **무네타 타케시(Takeshi Muneta)**
도쿄의과치과대학 재생의료 연구센터 **세키야 이치로(Ichiro Sekiya)**

Introduction

수술 전 고려 사항

● 적응증과 금기증

외측 반월판(lateral meniscus; LM)의 외측 돌출(extrusion)은 반월판의 hoop stress 분산 기능의 소실을 의미하며, 이로 인해 관절연골에 대한 직접적 부하가 증대하므로, 관절염(osteoarthritis; OA)의 진행과 상관관계가 있다고 보고된 바 있다.[1, 2] LM의 돌출 원인으로서는 후방 부착부(후근, posterior root)의 파열이나 방사형 파열(radial tear)[3], 반월판 부분 절제술 후 상태, 원판상 반월판[4] 등이 보고되고 있다. Centralization 수술법은 일반적인 봉합술로는 해부학적 복구가 불가능한 증례에 적응되는데, 다시 말해 슬관절 외측 구획의 OA 혹은 LM 절제술 시행 후의 증례 중에서, MRI 관상면에서 LM의 중간부(midbody) 3 mm 이상의 돌출이 발생하여 LM의 기능부전으로 인해 OA 진행이나 관절 연골이 손상을 입은 것으로 의심되는 경우, 혹은 첫 수술(primary operation)이지만 해부학적 복구가 불가능할 것으로 보이는 경우가 적응이 된다. 원판상 반월판의 첫 수술 예에서도 수술 후 돌출을 예방할 목적으로 적응증이 된다.

● 마취

전신마취, 요추마취 모두 수술이 가능하다.

● 수술 체위

일반적인 앙와위에서 관절경용 수술포를 사용하여 실시한다. 외측 구획 조작 시에는 환측을 수술대에 올려놓고 figure-4 상태에서 한다. 침대를 높게 하고, 환측을 위로 올라가게 약간 침대를 기울이면(tilting) 조작하기 쉽다. 지혈대는 수술 중 사용할 수 있도록 미리 준비한다. 관절경 관류액 주입은 자연 적하에서도 할 수 있지만, 관절경 펌프를 사용하는 것이 양호한 시야를 얻을 수 있을 것으로 생각한다.

수술 진행

1	진단적 관절경
2	Midlateral 삽입구 제작
3	경골 외측 고평부 연마(abrasion)
4	첫 번째 anchor 삽입
5	Suture-relay를 통한 mattress 봉합
6	두 번째 anchor 삽입
7	두 번째 mattress 봉합
8	Sliding-knot를 통한 봉합사 결찰
9	수술 후 재활

Fast **C**heck

① 전외측 삽입구에서 midlateral 삽입구를 슬와근 열공(popliteal hiatus)의 약 1 cm 전방에, LM 상연보다 가능한 한 근위에 제작한다.

② 첫 번째 anchor를 외측 경골 고평부의 가장자리, 슬와근 열공(popliteal hiatus) 바로 전방에 삽입하고, 두 번째 anchor는 첫 번째 anchor의 1 cm 전방에 삽입한다.

③ Micro Suturelasso™ (Arthrex)를 반월판과 관절막의 경계부에서 대퇴면에서 경골면을 향해 삽입하고, suture relay를 통해서 anchor의 실을 반월판 경골면에서 대퇴면으로 통과시킨다. 이 술식을 반복해서 mattress-knot 봉합을 만든다.

수술 술기

1 진단적 관절경

　통상적으로 이루어지는 관절경에 의한 관절 내 평가를 전내측 삽입구 및 전외측 삽입구를 이용해 실시한다. 합병된 인대 손상과 연골손상에 대한 조치를 각각의 상태에 맞추어 시행한다. 봉합이 가능한 반월판 손상에 대해서는 봉합을 현 단계에서 시행한다. 원판상 반월판에 대해서는 적절한 형태를 만들고 잔존 반월판에 대한 봉합이 필요한 경우에는 현 시점에서 시행한다. 그 후, 관절경으로 LM의 돌출을 확인해야 하는데, 돌출이 일어난 증례에서는 프로브를 이용해 LM의 midbody를 외측으로 밀어보면 외측 경골 고평부의 가장자리(peripheral rim)가 쉽게 노출된다 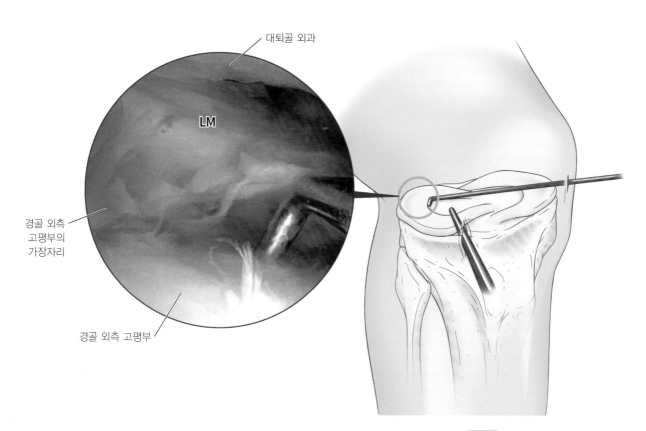. 정상적인 반월판에서는 가장자리가 쉽게 노출되지 않는다.

대퇴골 외과

LM

경골 외측
고평부의
가장자리

경골 외측 고평부

◎1 프로브를 통한 LM의 돌출 확인

2 Midlateral 삽입구 제작

Midlateral 삽입구를 슬와근 열공(popliteal hiatus)의 약 1 cm 전방에서, LM 상연보다 가능한 한 근위에 만든다. 전외측 삽입구에서 카메라로 보면서, 23G의 spinal needle을 이용해 정확하게 조작하면 제작이 용이하다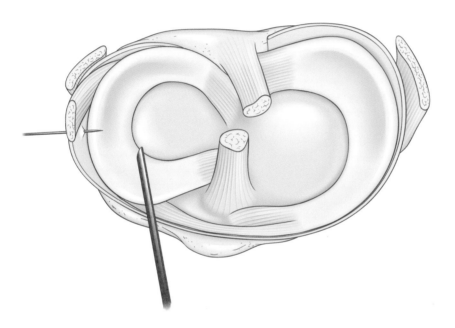. 이때, 삽입구의 위치를 가능한 근위로 두어야 LM의 손상을 피할 수 있고, 또한 anchor를 박을 때에 적절한(경골 고평부 가장자리에 대하여 수직으로) 각도를 얻을 수 있다.

> **코멘트** **NEXUS view** ////
>
> 삽입구 제작은 spinal needle을 이용하여 정밀하게 실시하되, 수술 중 조작을 용이하게 하기 위해 hemostat 등을 이용하여 미리 삽입구를 충분히 넓혀준다. 때에 따라서는 절삭기(shaver)로 활막 절제를 실시한다.

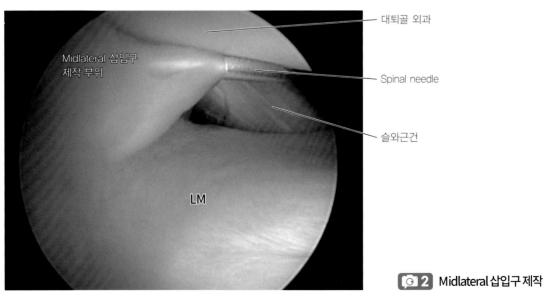

대퇴골 외과

Midlateral 삽입구 제작 부위

Spinal needle

슬와근건

LM

⊙2 Midlateral 삽입구 제작

3 경골 외측 고평부 연마(abrasion)

Midlateral 삽입구에서 절삭기를 삽입하여 경골 외측 고평부의 변연부위 연골 및 그 원위부까지 연마(abrasion)한다. 이 조작으로 경골측 관절막과 경골 고평부와의 수술 후 유착을 기대할 수 있다. 만약 골극 등으로 인해 충분한 centralization이 어렵다고 생각되는 증례에서는 골절단기(osteotome)나 관절경용 Abrader bur 등을 이용하여 골극을 절제한다. 또한 견관절 Bankart repair에서의 전방 관절순 박리와 유사하게 rasp을 반월판 하방으로 집어넣어서 관절막과 경골 고평부의 가장자리 사이를 박리하는 'mobilization' (LM의 이동성을 확보하기 위해)을 시행한다 📷3.

> **코멘트** **NEXUS view** ///
>
> 골극을 절제한 뒤, anchor 삽입 부위는 골극 절제부의 내측으로 해야 한다. 골극 절제 부위에 anchor를 삽입하지 않도록 주의한다. 특히 고령의 여성에서는 절제부위에 삽입 시 anchor가 적절한 고정 강도를 얻지 못하고 빠져버리는(pull-out) 경우가 있다.

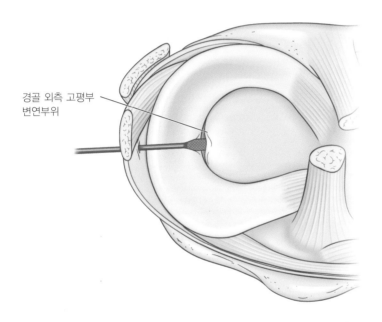

경골 외측 고평부
변연부위

Raspatory

슬와근건

경골 외측 고평부

📷3 경골측 관절막의
mobilization

4   첫 번째 anchor 삽입

Midlateral 삽입구에서 1.4 mm 직경 Jugger Knot™ Soft anchor (BIOMET)를 외측 경골 고평부의 가장자리, 슬와근 열공의 바로 전방에 삽입한다 📷 4a . Anchor용 cannula를 Midlateral 삽입구로부터 삽입하고 망치로 타격하여 고정한 후에 가이드와이어를 이용하여 드릴링하고 anchor를 삽입한다. 가이드와이어에 의한 드릴링 및 anchor 삽입 시 돌출된 LM은 이미 삽입된 anchor용 cannula를 이용하여 외측으로 젖혀둬서 손상을 피하도록 한다. anchor의 실은 suture grasper를 이용하여 전내측 삽입구로 빼둔다 📷 4b .

> **코멘트**   **NEXUS view** ///
>
> 가이드와이어에 의한 드릴링 시에는 anchor용 cannula를 사용하여 LM을 손상시키지 않도록 주의한다. 또한 앵커의 위치가 중앙으로 치우치지 않도록 경골 고평부의 가장자리를 잘 확인하고 고정한다.

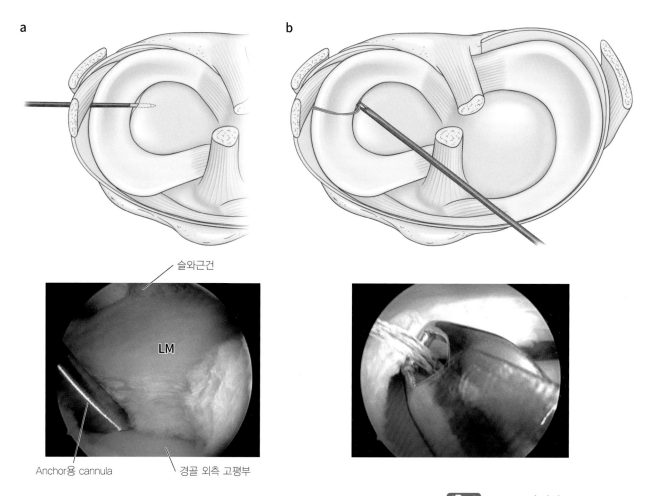

a

b

슬와근건

LM

Anchor용 cannula

경골 외측 고평부

📷 **4** **Anchor의 삽입**

a: Anchor용 cannula의 삽입
b: Anchor의 실을 suture grasper를 이용해서 전내측 삽입구로 빼둔다.

5 Suture-relay를 통한 mattress 봉합

Micro SutureLasso™ Small Curve with Nitinol Wire Loop (Arthrex)를 midlateral 삽입구에서 삽입하고 첫 번째 anchor 삽입 부위 근처에서의 반월판과 관절막 이행부위에, 관절막을 위쪽에서 아래쪽(from superior to inferior)을 향해 관통시킨다 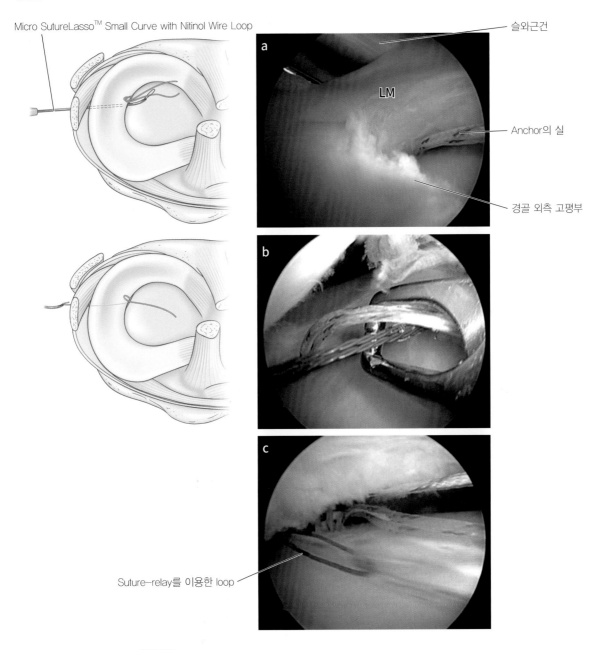 5a . Micro SutureLasso™ Small Curve with Nitinol Wire Loop를 관절 내에 충분히 집어넣고 전내측 삽입구로 뽑아낸다 5b . 이렇게 뽑아낸 loop에 anchor의 실을 1개 통과시켜 suture-relay를 실시함으로써 반월판 경골면에서 대퇴면으로 실을 통과시킨다 5c . 동일한 술기를 anchor의 두 번째 실에 대해서 실시한 후, mattress 봉합을 만든다 6 .

Micro SutureLasso™ Small Curve with Nitinol Wire Loop

슬와근건

a

LM

Anchor의 실

경골 외측 고평부

b

c

Suture-relay를 이용한 loop

📷5 Suture-relay를 통한 mattress 봉합

a: Micro SutureLasso™ Small Curve with Nitinol Wire Loop 통과
b: Anchor의 실과 Micro Suture Lasso™ Small Curve with Nitinol Wire Loop을 동시에 전내측 삽입구로 골라낸다.
c: Loop에 anchor의 실을 통과시킨 상태로 suture-relay를 실시함으로써 반월판 변연의 경골면에서 대퇴면으로 실을 꿰어준다.

코멘트 **NEXUS view**

Micro SutureLasso™ Small Curve with Nitinol Wire Loop를 관절 내에서 suture-relay 하기는 어려운 경우가 있으므로 관절 외로 꺼내서 relay를 하도록 한다. 이때, anchor의 실과 Micro SutureLasso™ Small Curve with Nitinol Wire Loop 사이에 연부조직이 끼는 것을 방지하도록 한다 📷 **5b**.

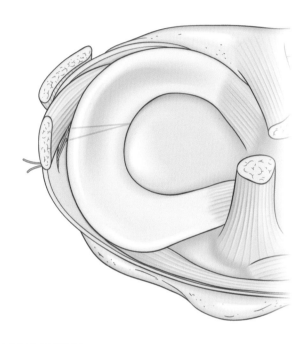

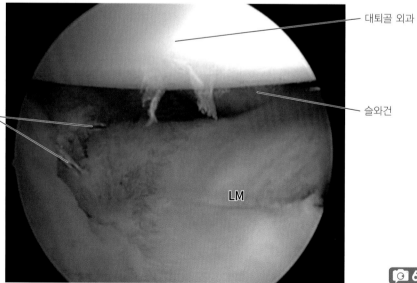

대퇴골 외과

슬와건

Mattress 봉합의 형성

LM

📷 **6** Mattress 봉합의 형성

6 두 번째 anchor 삽입

두 번째 JuggerKnot™ soft anchor를 외측 경골고평부 가장자리에서, 첫 번째 anchor의 1 cm 전방에 삽입한다 (🖼 7a).

7 두 번째 mattress 봉합

같은 술기를 반복하여 mattress 봉합을 형성한다.

8 Sliding-knot를 통한 봉합사 결찰

앞서 만들어진 2개의 mattress 봉합을 sliding-knot를 이용해 봉합한다 (🖼 7b). 최종적으로 관절경에서 돌출된 LM이 정복되어 내측으로 이동되어 있음을 확인한다 (🖼 7c), (🖼 8).

> **코멘트** **NEXUS view** ////
>
> 두 번째 anchor를 삽입 시에는 첫 번째 anchor의 위치를 landmark로 삼아서 정확하게 삽입해야 한다. 그리고 봉합 시에 이 두 anchor들의 실이 서로 얽히지 않도록 주의한다. 현재 저자들은 cannula는 사용하지 않고, 봉합하려는 실을 suture grasper로 고쳐 잡으면서 엉킴을 방지하고 있다.

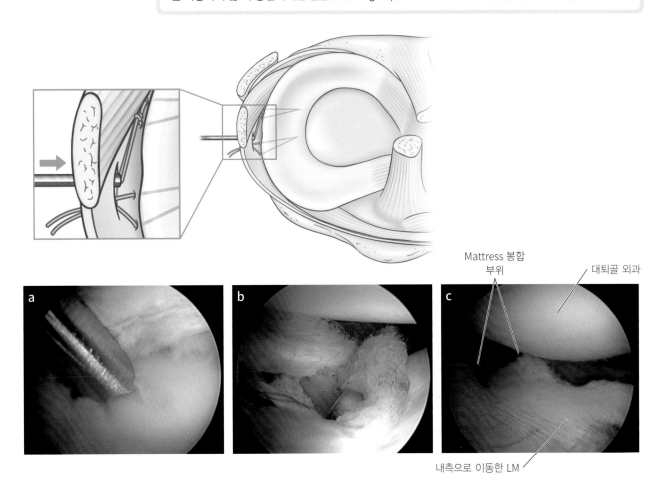

Mattress 봉합 부위

대퇴골 외과

내측으로 이동한 LM

🖼 7 **봉합사 체결**

a: 두 번째 anchor 삽입
b: Mattress 봉합을 sliding-knot를 이용해 체결한다.
c: 돌출된 LM이 내측으로 이동되어 있음을 관절경 화면에서 확인할 수 있다.

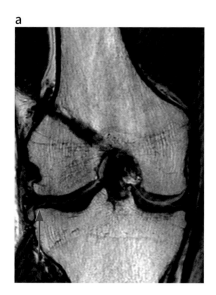
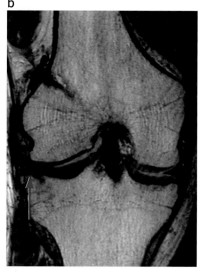

📷 8 MRI

a: 수술 전 MRI. LM의 돌출이 확인된
다(화살표).
b: 수술 후 1년 MRI. 돌출되었던 LM이
정복된 상태(화살표).

9 수술 후 재활

통상적인 반월판 봉합술에 준하는 재활치료를 시행한다. 관절가동범위 훈련 및 대퇴사두근 세팅은
수술 다음날부터 시행한다. 수술 후 4주간은 knee brace 장착 하에 단계적으로 체중 부하를 허용한다.
수술 후 4주 후부터는 knee brace를 제거하고 전체 하중 부하로 보행을 시작하지만, 고도 굴곡(deep
flexion) 상태에서의 전체 하중 부하는 수술 후 3개월간 금지한다. 스포츠 활동은 수술 후 3개월 이후
단계적으로 복귀를 허용한다.

참고문헌

1) Berthiaume MJ, Raynauld JP, Martel-Pelletier J, et al. Meniscal tear and extrusion are strongly associated
   with progression of symptomatic knee osteoarthritis as assessed by quantitative magnetic resonance
   imaging. Ann Rheum Dis. 2005;64:556-63.
2) Lee DH, Lee BS, Kim JM, et al. Predictors of degenerative medial meniscus extrusion:radial component
   and knee osteoarthritis. Knee Surg Sports Traumatol Arthrosc. 2011;19:222-9.
3) Anderson L, Watts M, Shapter O, et al. Repair of radial tears and posterior horn detachments of the
   lateral meniscus:minimum 2-year follow-up. Arthroscopy. 2010;26:1625-32.
4) Kijowski R, Woods MA, McGuine TA, et al. Arthroscopic partial meniscectomy:MR imaging for prediction
   of outcome in middle-aged and elderly patients. Radiology. 2011;259:203-12.
5) Choi NH. Radial displacement of lateral meniscus after partial meniscectomy. Arthroscopy. 2006;22:575.
6) Ahn JH, Lee SH, Yoo JC, et al. Arthroscopic partial meniscectomy with repair of the peripheral tear for
   symptomatic discoid lateral meniscus in children:results of minimum 2 years of follow-up. Arthroscopy.
   2008;24:888-98.
7) Atay OA, Pekmezci M, Doral MN, et al. Discoid meniscus:an ultrastructural study with transmission
   electron microscopy. Am J Sports Med. 2007;35:475-8.

복합인대손상

III. 복합인대손상

후방십자인대 재건술을 병용한 내측 측부인대 및 후내측 구조물 재건술

도쿄의과치과대학 대학원 의치학종합연구과 운동기외과학 **코가 히데유키(Hideyuki Koga)**
도쿄의과치과대학 대학원 의치학종합연구과 운동기외과학 **무네타 다케시(Takeshi Muneta)**

Introduction

수술 전 고려 사항

● 적응증과 금기증

후방십자인대(posterior cruciate ligament; PCL) 손상에 합병된 grade III의 내측 측부인대(medial collateral ligament; MCL) 손상에 대한 치료 방침에는 다양한 보고가 있다. 보존요법을 권장[1]하거나, 급성기 손상 시에는 봉합(repair)[2, 3]을 권장하기도 하며, 만성기에는 재건(reconstruction)[4]을 권유하는 등 다양하지만, 폭넓게 일치된 consensus는 아직까지는 없다. 저자들은 PCL 손상에 합병된 grade III MCL 손상에 대하여, 급성기 손상인 경우에는 보존적 요법을 시행하여 종창의 경감, 관절가동범위 및 근력 회복에 힘쓰고, 만약 보존적 치료 후에도 grade III의 외반 불안정성이 잔존하는 증례에 대해서는 수술요법[5]을 실시하고 있다.

수술의 개요는 합병된 PCL 손상에 대해서는 재건술을 시행하고, 동시에 MCL의 천층(superficial MCL; sMCL) 및 후방사상인대(posterior oblique ligament; POL)를 심층부(underlying)에 위치한 MCL의 심층(deep MCL; dMCL) 및 관절막에 봉합사로 연결하여 근위 전진술(proximal advancement)을 시행하고, 거기에 덧붙여 반건양건(semitendinous tendon; ST)을 3중으로 겹치게(augmentation)하여 해부학적 sMCL과 POL 재건술을 실시한다. 이러한 치료방침에 따라 수술을 실시한 PCL 손상을 합병한 grade III MCL 손상의 증례에서 수술 후 임상 성적은 대체로 양호했다. 더군다나, PCL · MCL 합병손상에서는 대부분 후내측(posteromedial complex) 구조물도 손상되었다고 여겨지며, 최근에는 후내측 구조물 손상에 대하여 POL의 중요성이 더욱 강조되고 있으므로, POL에 대해서 근위 전진술(advancement)을 통한 복구 및 재건을 실시하는 것이 중요하다고 저자들은 생각한다.

● 마취

통상적으로 복합인대손상에 대한 수술은 장시간이 소요되므로 전신마취로 한다.

● 수술 체위

앙와위에서 일반 관절경용 수술포를 사용하여 실시한다. 지혈대는 수술 중간에라도 필요시 지혈할 수 있도록 미리 준비한다. PCL 재건술 시에는 관절경 펌프를 사용하는 것이 양호한 시야를 얻을 수 있다.

수술 진행

1	피부 절개
2	이식건 채취
3	이식건 제작
4	PCL 재건: 경골터널 제작
5	PCL 재건: 대퇴골터널 제작
6	PCL 재건: 이식건 도입
7	MCL 재건: Proximal advancement
8	MCL 재건: sMCL+POL 재건술
9	PCL 재건: 이식건 고정
10	수술 후 재활

Fast Check

1 PCL 재건술은 killer turn을 감소시키기 위해서 경골터널은 가급적 외측에 만들고, 대퇴골 터널은 Outside-In 기법을 이용하여 제작한다.

2 sMCL 및 POL을 dMCL 및 관절막에 한 덩어리로 겹쳐서 봉합한 후, 근위로 끌어올리는 복구법을 실시한다.

3 3겹으로 접은 ST를 이용해 해부학적으로 sMCL과 POL을 재건한다.

수술 술기

1 피부 절개

PCL·MCL 재건술은 복합인대손상에 대한 수술에 준해서 시행하는 경우가 많기 때문에, 이식건 선택에 대해서는 다양한 옵션을 생각할 수 있지만, 여기에서는 PCL, MCL을 재건을 위해서 건측과 환측 양쪽 모두에서 두 개의 ST를 채취해서 이용하며, PCL 재건에 대해서는 ST를 기본으로 사용하되, 필요에 따라서 박건(gracilis tendon; G)을 추가로 이용하는 단일다발(single bundle) 재건술에 대해 기술한다. **그1**과 같은 피부 절개를 한다(그 외로는, 반대편 건측 하지에 ST 채취를 위한 피부 절개를 해놓는다).

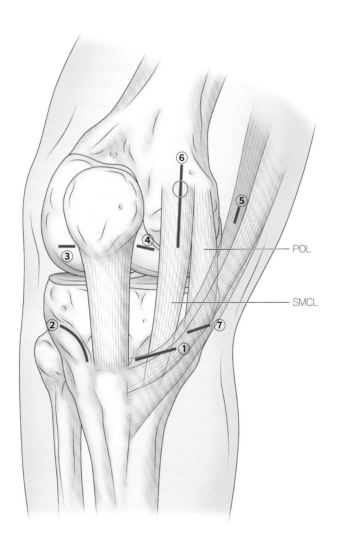

그1 피부 절개

① 이식건 채취 및 sMCL/POL 고정용 피부
  절개
② PCL 재건술 경골터널용 피부 절개
③ 전내측 삽입구
④ 전외측 삽입구
⑤ 후내측 삽입구
⑥ MCL 대퇴골측 피부 절개
  (○은 터널 제작 위치)
⑦ POL 터널 제작용 피부 절개

2 이식건 채취

경골 내측에서 거위발건의 상연을 따라서 3~4 cm 비스듬하게 피부 절개를 가한다 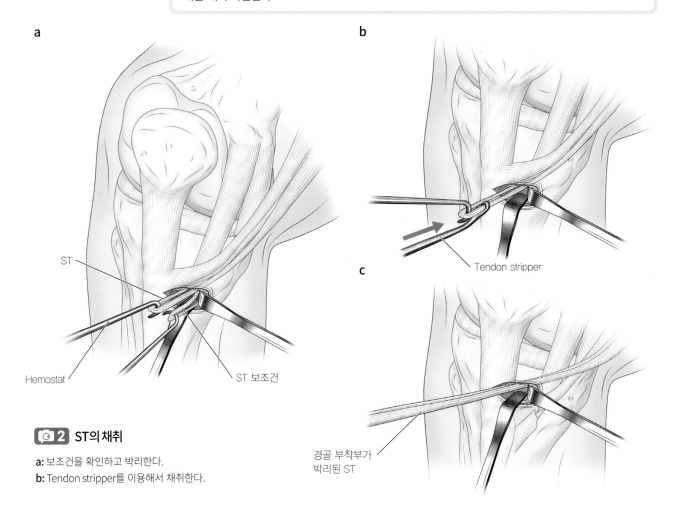1①. 피하를 blunt dissection하여 거위발건의 상연을 찾아내고, 봉공근(sartorius)막을 세로 방향으로 절개하여 떼어낸다. G, ST를 한 덩어리로 hemostat 등으로 당겨본다. 두 건을 각각 따로 분리하여 G의 원위 및 심부(deep)에 있는 ST를 지혈겸자로 당기면서 주변 조직을 박리한다. 무릎을 굴곡시켜 가면서 이식건을 근위까지 박리해 나간다. ST는 많게는 2~3개의 보조건이 있어, 그것들을 잘라내면서 분리한다 2a. 나아가서 근위로 올라가 근건 이행부를 elevator를 이용해 박리해 둔다. Open tendon stripper를 ST에 걸거나 2b, hemostat나 right angle로 원위로 당기면서 Open tendon stripper를 이용해서 조심스럽게 근위부 근건을 떼어낸다 2c. PCL용 이식건은 네 겹으로 접어서 (quadruple) 이식건의 지름이 8 mm, 길이가 65 mm로 하고, 이에 못 미칠 경우에는 G도 함께 채취한다. 마지막으로 거위발건의 ST 부착부 골막을 충분히 부착한 상태로 분리한다. 건측 하지에서도 마찬가지 방법으로 ST를 채취한다. 두 이식건 중에서 굵기가 크고 길이가 긴 쪽을 PCL용 이식건에 이용한다.

코멘트 **NEXUS view** ///

ST 채취 요령

ST의 보조건을 명확하게 정리하면서 분리해두는 것이 중요하다. 또한 근건 이행부위에서 주변부 전체를 elevator로 확실히 박리한다. Tendon stripper가 충분히 슬와부를 넘을 때까지는 강하게 이식건을 당기지 않은 상태에서 stripper를 천천히 진행하며, 걸림이 느껴질 때는 무리하게 진행하지 않고 상태를 재차 확인한다.

a

b

c

ST

Hemostat

ST 보조건

Tendon stripper

경골 부착부가 박리된 ST

2 ST의 채취

a: 보조건을 확인하고 박리한다.
b: Tendon stripper를 이용해서 채취한다.

3 이식건 제작

　　GRAFTMASTERR® (ACUFEX)를 이용해 이식건의 제작을 진행한다. 봉합사는 No.5 bradied suture (예: Ethibond)를 사용한다. PCL용 이식건은 ST건성부의 단단한 부위가 26 cm 이상이 되도록 채취하고, 만약 불충분한 경우에는 G도 병용한다. 길이와 굵기에 따라 ST를 4중 접기를 하거나, ST 2~4중 접기 및 G 이중 접기 등 다양한 방법을 통해서, 이식건 직경 8 mm, 길이 65 mm 이상인 이식건을 제작한다. 대퇴골측 고정은 ENDOBUTTON CL BTB (Smith & Nephew사)를 사용하고, ENDOBUTTON의 길이 선택은 대퇴골 터널 길이에서 15 mm를 뺀 값을 기준으로 한다.

　　MCL용 이식건은 ST건성부의 단단한 부위가 24 cm 이상 되도록 한다. 우선, 이식건의 양 끝에 Krackow suture를 1개씩, 총 2개를 결찰한다. 예를 들어, ⒞3과 같이 7 cm − 7 cm − 10 cm가 되는 경우에 두 곳에서 방향을 바꿀 수 있게 봉합사(⒞3에서 파란실)를 루프 부분에 걸어 이식건을 접고, 두 곳의 접힌 부위에 다시 Krackow suture를 1개씩 총 2개를 추가한다. 7 cm 부분들을 sMCL, 10 cm 부분을 POL에 사용한다.

> **코멘트　NEXUS view** ////
>
> **MCL용 이식건 제작 요령**
> 　　sMCL 부분의 길이는 증례에 따라 다르지만, 근·원위의 이식건 고정부보다 길어지면 이식건에 장력이 가지 않게 되므로 너무 길지 않게 제작하도록 주의한다.

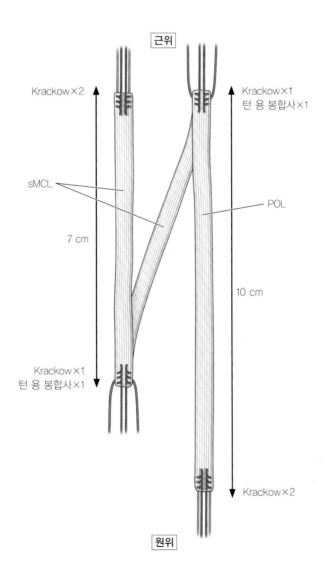

근위

Krackow×2

sMCL

7 cm

Krackow×1
턴 용 봉합사×1

Krackow×1
턴 용 봉합사×1

POL

10 cm

Krackow×2

원위

⒞3 MCL 재건술용 이식건 제작

4 PCL 재건: 경골터널 제작

PCL 이식건의 경골터널부에서의 killer turn을 줄이기 위해 경골터널을 경골의 근위 및 전외측에 제작한다. 경골 근위 전외측부에 ⒶⒶ①②와 같이 궁형으로 피부 절개를 한다. 전경골근의 근위부착부를 골막하 박리하여 경골의 전외측면을 노출시킨다.

진단적 관절경을 통상적인 전내측 삽입구ⒶⒶ①③ 및 전외측 삽입구ⒶⒶ①④ 를 이용하여 실시한다. 합병된 반월판 손상이나 연골손상에 대해 평가하고, 각각의 병태에 따라 적절한 처치를 시행한다. 그리고, 손상된 PCL 및 MCL 손상에 의해서 내측 구획의 확대(joint opening)되었는지를 확인한다.

PCL의 경골 부착부 부위는 70° 관절경을 이용한다. 후내측 삽입구ⒶⒶ①⑤ 를 만들어서, 전내측 삽입구로부터 관절경을 통해 관찰하면서 후내측 삽입구로 절삭기나 radiofrequency를 이용해 PCL 경골 부착부를 원위까지 충분히 박리하고, 부착부위(footprint)를 확인한다. 경골측 터널의 위치는 ⒶⒶ4a와 같이 PCL 경골부착부 내에서 원위 및 가급적 외측에 제작한다. PCL ACUFEX™ Director Drill Guide (Smith & Nephew사)를 전외측 삽입구를 통해서 삽입하고, 이를 이용하여 노출된 경골 전외측면에서부터 가이드와이어를 삽입한다 ⒶⒶ4b . 수술 중 방사선 촬영을 두 방향(AP, Lat)에서 시행하여 가이드와이어의 위치를 확인한다ⒶⒶ4c . Cannulated drill을 이용해 이식건의 직경에 맞게 터널을 확대한다. 터널 개구부 주위의 PCL 잔여 조직(remnant)을 박리하고, 또한 이식건과 터널 간의 충돌(impingement)을 경감시키기 위해 터널의 개구부를 원위에서 근위로 PCL 주행 방향으로 터널 벽면을 raspatory (鑢 ; 줄톱)로 매끄럽게 한다.

코멘트 NEXUS view

경골터널의 제작을 용이하게 하기 위해서는 PCL의 경골 부착부에서의 워킹 스페이스 확보가 중요하다. PCL 부착부를 원위까지 충분히 박리하고, 또한 switching stick 등을 후내측 삽입구에서 삽입하여 후방 관절막을 더욱 후방으로 밀어내면 시야 확보가 용이해진다. 또한 가이드와이어의 삽입 및 cannulated drill에 의한 오버드릴 시에는 시야를 충분히 확보함과 동시에 신경다발의 보호를 위해서 PCL elevator (Smith & Nephew사) 등으로, 가이드와이어의 끝을 막고 오버드릴하는 등, 후방의 신경혈관다발이 손상되지 않도록 주의한다.

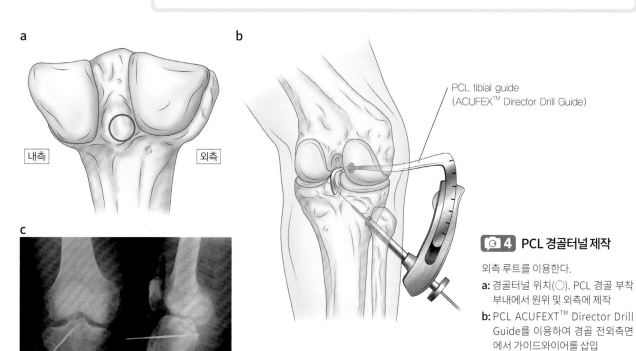

a

내측   외측

b

PCL tibial guide
(ACUFEX™ Director Drill Guide)

c

ⒶⒶ4 PCL 경골터널 제작

외측 루트를 이용한다.

a: 경골터널 위치(○). PCL 경골 부착부내에서 원위 및 외측에 제작

b: PCL ACUFEXT™ Director Drill Guide를 이용하여 경골 전외측면에서 가이드와이어를 삽입

c: 수술 중 X선 촬영상에 의한 가이드와이어의 위치 확인

5 PCL 재건: 대퇴골터널 제작

대퇴골 측의 터널위치는 **5a**와 같이 PCL 대퇴골 부착부[6]의 원위 및 전방에 치우치게 제작하여 터널 상단의 경계가 관절 연골로부터 1~2 mm 정도 거리를 두는 정도의 위치로 만든다. 전외측 삽입구에서 관절경으로 관찰하면서 ACUFEX™ Director PCL Femoral Aimer (Smith & Nephew사)를 전내측 삽입구에서 삽입하고, Outside-In 기법으로 가이드와이어를 삽입한다 **5b**. 4.5 mm 지름의 드릴로 오버드릴 후 Flip Cutter (Arthrex)를 이용하여 이식건 직경에 맞추어 역행성(retrograde)으로 터널을 확대한다. 대퇴골터널 내로 들어가는 이식건 길이는 15 mm를 기본으로 하며, 터널 내 이식건의 길이에다가 8 mm (ENDOBUTTON® CL이 플립(flip)되는 정도만큼) 추가해서 터널을 만든다. Suture Retriever (Smith & Nephew사)를 이용하여 이식건 도입용 리딩(leading)실을 관절 내부에서 루프가 만들어지도록 해서 전내측 삽입구로 끌어낸다.

코멘트 NEXUS view ////

대퇴골측 가이드와이어의 삽입점은 이후에 이루어질 MCL 재건술에 방해되지 않고, 또한 대퇴골 측 killer turn을 경감시키기 위하여 가능한 원위 및 전방에 위치하도록 한다. 한편, 삽입점을 원위 전방으로 함으로써 근위로 하는 경우와 비교해서 ENDOBUTTON이 피하에 만져지기 쉬워지는 단점도 있다. 또 이 부위의 피질골이 약하기 때문에, ENDOBUTTON 고정이 어려운 경우를 대비해 ENDOBUTTON을 extension하거나 interference screw를 백업으로서 준비해 둔다.

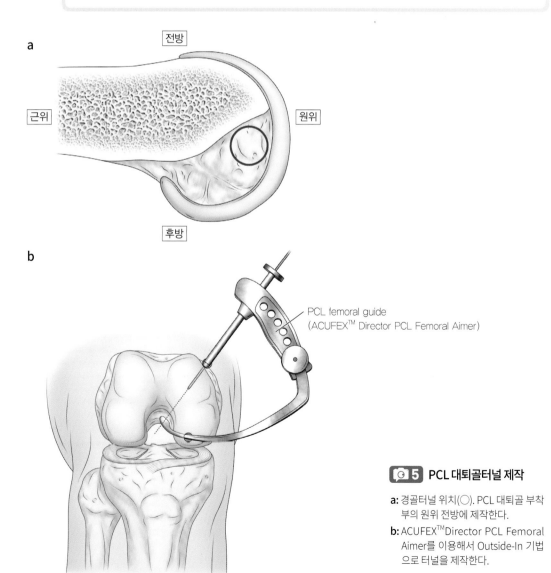

a

전방

근위   원위

후방

b

PCL femoral guide
(ACUFEX™ Director PCL Femoral Aimer)

5 PCL 대퇴골터널 제작

a: 경골터널 위치(○). PCL 대퇴골 부착부의 원위 전방에 제작한다.

b: ACUFEX™Director PCL Femoral Aimer를 이용해서 Outside-In 기법으로 터널을 제작한다.

6 PCL 재건: 이식건 도입

경골터널에 리딩(leading)실을 Suture Retriever를 이용해 통과시켜서, 전내측 삽입구로 실을 뽑아
낸다. 이때 대퇴골 쪽 리딩실과 동시에 골라내서 실의 엉킴을 방지한다. 경골 측 리딩실을 대퇴골 측 리
딩실 루프 부분에서 체결하여 경골 측의 리딩실을 경골터널보다 원위로 끌어내어 대퇴골측 리딩실의
루프를 경골측으로 끌어낸다 📷 6a . 여기에 ENDOBUTTON®에 건 실을 통과시켜서, 루프를 대퇴
골측으로 끌어올림으로써 ENDOBUTTON®에 연결된 실을 대퇴측으로 끌어낸다. 이식건이 관절 내에
도입되면 ENDOBUTTON®을 플립 후 고정한다 📷 6b .

코멘트 **NEXUS view** ///

이식건 진입 시 후내측 삽입구에서 switching stick 등을 삽입하여 도르래 역할을 하게 하면, 경골터
널의 이식건이 관절 내로 진입하는 것이 원활해진다.

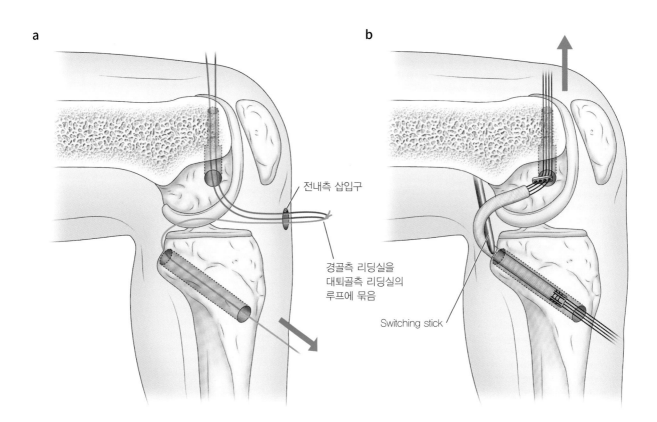

a

전내측 삽입구

경골측 리딩실을
대퇴골측 리딩실의
루프에 묶음

b

Switching stick

📷 6 **이식건 도입**

a: 리딩실 준비. 경골터널에 리딩실을 통과시키고 전내측
삽입구로 실을 뽑아낸다. 경골측 리딩실을 대퇴골측 리
딩실의 루프에 체결한 뒤에, 경골측 리딩실을 경골터널
의 원위 개구부까지 끌어냄으로써 대퇴골 측 리딩실의
루프를 경골 원위 개구부 측으로 끌어낸다.

b: PCL 이식건의 도입. 후내측 삽입구에서 switching stick
을 삽입하여 도르래(pulley) 역할을 하게 함으로써 이
식건의 진입을 원활하게 한다.

7 MCL 재건: Proximal advancement

3~4 cm 세로 피부 절개를 sMCL의 대퇴골 부착부에 가한다 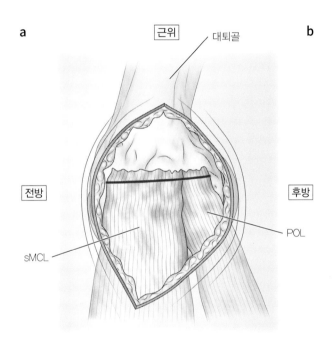①⑥. sMCL 및 POL을 노출시키고 파열 혹은 이완된 sMCL을 확인한다. sMCL 및 POL을 blade를 이용하여 대퇴골 부착부에서 가로로 절개하고, 심층부에 위치한 내측 관절막 및 dMCL과 함께 한 덩어리로서 표층은 대퇴근막으로부터, 심층은 대퇴골로부터 전후, 근위·원위 방향 모두 충분히 박리한다 ⓖ7a. 그리고 sMCL, dMCL 및 내측 관절막의 부착부를 큐렛을 이용하여 decortication한다.

FiberWire® 봉합사를 4개 사용하여, sMCL의 ①전방, ②중앙, ③후방 및 ④POL까지 4부위에서, 각각의 심층부에 위치하는 dMCL이나 관절막까지 Krackow suture를 걸어서 연결한다 ⓖ7b. 2개 anchor staple을 sMCL 부착부보다 10 mm 근위, 내측광근의 심층을 박리하여 젖혀놓은 상태로, 서로 평행하게 삽입하여 sMCL에서의 ①전방과 ②중앙의 실은 전방 스테이플에, sMCL의 ③후방 및 ④POL에 걸은 실은 후방 스테이플에 고정한다 ⓖ7c. sMCL은 30° 굴곡위 부근에서, POL은 최대 신전위 부근에서 최대장력이 생긴다는 것을 고려해서 전방 스테이플에는 30° 굴곡위, 후방은 최대신전위에서 각각 도수적으로 최대장력을 가해 고정한다.

a

근위　　대퇴골

전방

후방

sMCL

POL

b

스테이플

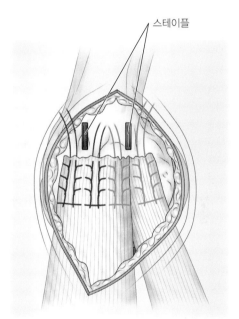

c

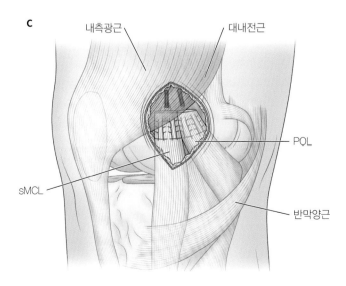

내측광근　　대내전근

POL

sMCL

반막양근

ⓖ7 MCL 리프팅 수복법

a: 잔존하는 MCL 부착부는 원위에서 가로로 절단 힌다.

b: FiberWire® 4개를 sMCL의 전방, 중앙, 후방 및 POL이나 관절막에 포함해서 Krackow suture를 걸어서 붙인다. 2개의 anchor staple을 sMCL 부착부보다 10 mm 근위에서 서로 평행하게 고정한다.

c: sMCL에 건 실 중에서 전방에 위치한 2개(빨강)를 전방 스테이플(빨강)로, sMCL 후방 및 POL에 건 실(파랑)을 후방 스테이플에 봉합한다.

8 MCL 재건: sMCL + POL 재건술 📷8

POL은 원위에서 경골 근위 후내측에 폭넓게 부착되어 있는데, 그 중앙부위에서는 반막양근의 경골 근위 부착부에서 반막양근건에 연속되어 있다.[8] 그러므로 반막양근 경골 근위 부착부에서 원위로의 반막양근 주행에 따라서 비스듬한 피부 절개를 한다 📷1⑦. 복재신경에 주의하면서 피하를 박리하고 후방으로 전개해 나간다. 반막양근건 부착부 바로 원위에서 봉공근의 근막을 절개하고, 경골 근위 후내측을 박리한다. POL 경골터널을 반막양건 경골 부착부의 바로 원위에서, 경골의 전내측면을 향해서 더욱 원위로 향하도록 경사지게 제작한다. ACL tibial guide를 이용하여 경골 근위 내측 전면에서 가이드와이어를 삽입하고 4.5 mm 직경의 드릴로 오버드릴한다. 그리고 이식건 도입용 리딩실을 꿰어 놓는다.

이식건을 채취한 피부 절개 부위에서 sMCL 경골 부착부를 주변조직에서부터 분리시켜서, 1개의 앵커 스테이플을 sMCL의 경골 부착부에 삽입한다. 또한 POL 터널 개구부의 바로 원위에도 앵커 스테이플을 고정시킨다. 대퇴골 부착부의 피부 절개 부위에서부터 이식건을 진입시킨다. sMCL 재건용 이식건의 접힌 부분을 sMCL과 같은 layer를 통해 원위로 빼낸 후 sMCL용 스테이플에 고정한다. 그 다음으로 근위에 박힌 앵커 스테이플에 각각 30° 굴곡위로, 도수 최대장력으로 고정한다.

POL 재건용 이식건은 POL과 같은 layer에서 경골터널의 근위 피부 절개 부위로 이끌어낸 후 리딩실을 이용해 경골터널에 진입시키고, 경골 전내측으로 이식건에 건 실을 끌어낸다. POL용 스테이플에 최대 신전위, 도수로 최대장력 상태에서 고정한다.

코멘트 **NEXUS view**

후내측부 전개 시 복재신경이 손상되지 않도록 주의한다. 복재신경은 통상 이 레벨에서는 봉공근 및 봉공근막의 후방을 주행하고 있으므로, 이를 피하기 위해서 가급적 봉공근의 전연에서 박리를 전개한다. 또한 POL용 터널은 경골축에 대하여 각도가 급격하면 제작이 어렵지만, 경골의 전내측 개구부를 가능한 경골 중앙으로 가져오도록 제작하면 비교적 용이하다.

a

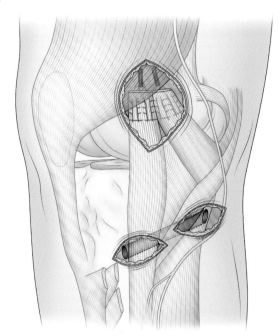

b

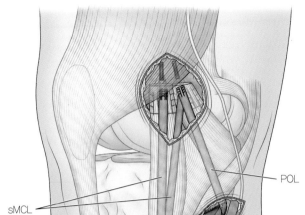

POL

sMCL

c

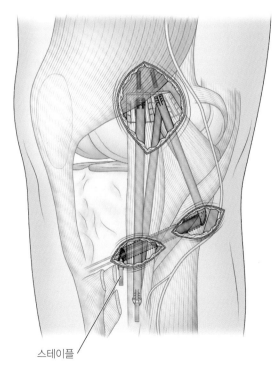

스테이플

📷 8 sMCL+POL 재건술

sMCL 재건용 이식건의 접힌 쪽을 sMCL용 스테이플에 고정한다. 이어서 대퇴골에 고정한 스테이플에 1개씩, 30° 굴곡위에서, 도수로 최대장력 하에서 고정한다. POL 재건용 이식건은 경골터널을 통해 경골 전내측으로 빼내어서 POL용 스테이플에 고정한다.

9 PCL 재건: 이식건 고정

마지막으로 PCL 이식건을 고정한다. 무릎 관절 70° 굴곡 상태에서 도수적으로 경골을 전방으로 당긴 상태로 경골 근위 전외측면, PCL 터널의 개구부 약 1 cm 원위 부위에 삽입한 anchor staple에 도수적으로 최대장력 상태로 고정한다. 그 후, 재건된 인대의 긴장도, 장력패턴을 체크한다. 후방십자인대의 장력패턴은 보통 굴곡과 함께 긴장도가 높아지는 경향을 보이며, 굴곡위에서의 적절한 제동성을 갖는 것이 중요하다는 것을 인식해야 한다. 또한 수술 전에 관찰되었던 내측 구획의 공간이 벌어지는 (opening) 현상이 사라졌는지 확인한다 📷9.

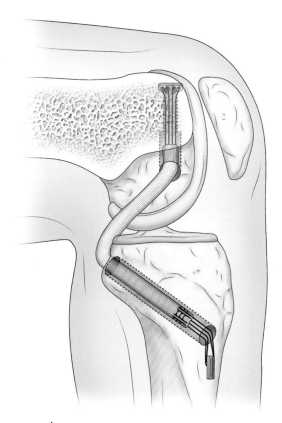

📷9 **PCL/MCL 수술 전과 후 관절경 소견**

a: 재건된 PCL

b, c: 수술 전(b) 및 수술 후(c) 내측 구획 관절경 소견.
수술 전에 관찰되던 내측 구획의 opening이 사라졌다.

10 수술 후 재활

PCL 재건술에 준하여 수술 후 재활을 실시한다. 최대신전에서 굴곡 90°까지의 관절가동범위 훈련을 수술 후 2일부터 시작한다. 70° 이상의 굴곡은, 경골의 후방 침하되지 않도록 주의해서 실시한다. 하중 부하는 20 kg 부분 하중부터 시작하고 서서히 전체 하중부하로 이행한다. 수술 후 4주까지는 목발을 사용하고, 보행 시에는 knee brace를 착용시켜 굴곡제한을 둔다. 수술 후 3개월은 굴곡은 120°까지로 한정하고 open kinetic chain에서의 능동 굴곡 훈련을 금지하는 한편, 의료진 보호 하에 수동적 굴곡 훈련 및 closed kinetic chain에서의 굴곡 훈련을 실시한다. 조깅은 3~6개월에 허용하고 스포츠 복귀는 6~10개월에 단계적으로 허용해 나간다.

참고문헌

1) Halinen J, Lindahl J, Hirvensalo E. Range of motion and quadriceps muscle power after early surgical treatment of acute combined anterior cruciate and grade-III medial collateral ligament injuries. A prospective randomized study. J Bone Joint Surg Am. 2009;91:1305-12.

2) Bin SI, Nam TS. Surgical outcome of 2-stage management of multiple knee ligament injuries after knee dislocation. Arthroscopy. 2007;23:1066-72.

3) Ibrahim SA. Primary repair of the cruciate and collateral ligaments after traumatic dislocation of the knee. J Bone Joint Surg Br. 1999;81:987-90.

4) Yoshiya S, Kuroda R, Mizuno K, et al. Medial collateral ligament reconstruction using autogenous hamstring tendons:technique and results in initial cases. Am J Sports Med. 2005;33:1380-5.

5) Koga H, Muneta T, Yagishita K, et al. Surgical management of grade 3 medial knee injuries combined with cruciate ligament injuries. Knee Surg Sports Traumatol Arthrosc. 2012;20:88-94.

6) Hatsushika D, Nimura A, Mochizuki T, et al. Attachments of separate small bundles of human posterior cruciate ligament:an anatomic study. Knee Surg Sports Traumatol Arthrosc. 2013;21:998-1004.

7) Griffith CJ, Wijdicks CA, LaPrade RF, et al. Force measurements on the posterior oblique ligament and superficial medial collateral ligament proximal and distal divisions to applied loads. Am J Sports Med. 2009;37:140-8.

8) LaPrade RF, Engebretsen AH, Ly TV, et al. The anatomy of the medial part of the knee. J Bone Joint Surg Am. 2007;89:2000-10.

III. 복합인대손상

후방십자인대 재건술을 병용한 외측 측부인대 및 후외측 구조물 재건술

고베대학 대학원 의학연구과 정형외과학 **구로다 료스케(Ryosuke Kuroda)**
고베대학 대학원 의학연구과 정형외과학 **마츠시타 타케히코(Takehiko Matsushita)**

Introduction

후방십자인대(posterior cruciate ligament; PCL) 손상은 스포츠 외상이나 교통사고 관련 외상에서 비교적 자주 볼 수 있는 인대손상 중 하나이며, 특히 고에너지(high-energy) 외상에서는 측부인대 손상을 합병하는 사례도 많다. PCL 손상에 외측 측부인대/후외측 구조물(lateral collateral ligament; LCL/posterolateral corner; PLC) 손상이 합병하였을 때는 PCL의 단독 재건수술만으로는 무릎 기능을 완전히 회복시킬 수 없다는 점과 장기적으로 보아도 단독으로 시행된 후방십자인대 재건술은 수술 후에도 이완 및 불안정성의 재발을 초래할 우려가 있어 외측 측부인대 혹은 후외측 구조물의 동시에 재건하는 것이 필요한 경우가 있다. 이번 편에서는 PCL과 외측 측부인대 및 후외측 구조물의 기능 및 해부학적 지식과 함께 동반 재건 수술의 술기에 대해 기술한다.

수술 전 고려 사항

● 후방십자인대(PCL)

PCL은 슬관절의 후방 안정성에 대한 주된 제동인자이며, 경골 후방 이동을 억제하는 힘의 90% 이상을 차지하고 있고, 경골과(tibia condyle) 부위에서의 후방 아탈구를 억제하고 있다. 또한 굴곡에 따른 대퇴골과(femur condyle)의 경골과 위에서의 굴림(gliding) 운동을 제어하여 슬관절 회전운동의 축을 이루고 있다. PCL은 경골 상단의 후방 중앙에서부터 대퇴골 내과의 내측면 전방으로 주행하고 있으며 길이는 약 32~38 mm이고, 인대 실질부의 최대 가로 직경은 13 mm이며, 전방십자인대(anterior cruciate ligament; ACL)의 약 1.5배의 횡단면적을 갖는다. 대퇴골 부착부 위치를 기준으로 전외측 다발(anterolateral bundle; ALB)과 후내측 다발(posteromedial bundle; PMB)로 구성되어 있으며, ALB는 길이 35 mm로, PMB의 약 2배의 굵기를 가지며 굴곡 시에 긴장하는 한편, PMB는 길이는 33 mm로 신전 시에 긴장하는 특징을 갖는다.[2, 3] 또한 PCL과 외측 반월판의 후각을 연결하는 섬유속 다발로서 2개의 전방 반월대퇴인대(humphrey ligament)와 후방 반월대퇴인대(wrisberg ligament)가 있으며, 둘 중 적어도 하나가 93%에 존재한다.[4] PCL 손상은 ACL 손상보다 강한 외력으로 인해서 일어난다. 때문에 PCL 손상에서는 다른 인대손상이 합병되는 일이 많다. 특히 PCL 손상의 60%에서 LCL 손상을 동반하는 것으로 알려져 있다.

수술 진행

PCL 재건

1. 이식건 채취
2. 관절 내 시야 확보
3. 터널 제작
4. 이식건 도입
5. 이식건 고정

PLC 재건

6. 피부 절개
7. 터널 위치 결정 및 제작
8. 고정법

● 외측 측부인대(LCL), 후외측 구조물(PLC)

후외측 구조물(posterolateral structure; PLC)은 외측 측부인대(lateral collateral ligament; LCL), 슬와건(popliteal tendon)과 슬와비골인대(popliteofibular ligament; PFL) 및 슬와근(popliteus)으로 이루어진 슬와근 복합체(popliteus complex), 종자비 골인대(fabellofibular ligament), 궁형인대(arcuate ligament), 후외측관절막으로 구성되어 있다. PFL은 비골두의 후내측을 기시부로 하여 슬와건 이행부의 약간 중추에 부착해 있는 인대이며, 슬와건과 유사한 직경을 갖는다.[6] 또한 PFL을 포함해서, popliteus complex는 PLC 중에서도 LCL과 함께 중요한 역할을 하는 지지조직으로, 각각 독자적인 기능을 가지고 있음이 밝혀지고 있다.[6] LCL은 대퇴골 외상과에서부터 기시하고 비골두에 부착되며, 전체 관절가동범위에서 내반력에 대한 안정성을 제공하고, 신전에서부터 굴곡 60°까지는 외회전에 대한 제동력도 갖는다. 한편 popliteus complex는 전체 가동 범위에서 경골 외회전을 제어하고 있으며, LCL 다음으로 내반력에 대한 안정성을 제공하는 중요한 구조물이다 🔘1.

● 수술 적응증

PCL: Grade III 손상(후방 스트레스 부하 검사 시 경골 10 mm 이상 전위) 또는 스트레스 부하 검사에서 건측과 환측의 전위 차이가 10 mm 이상.

LCL: Grade III 손상(외반 스트레스 부하 검사에서 10 mm 이상 전위)/

PLC: Dial test 시 30° 굴곡위에서 건측과 환측의 차이가 10° 이상.

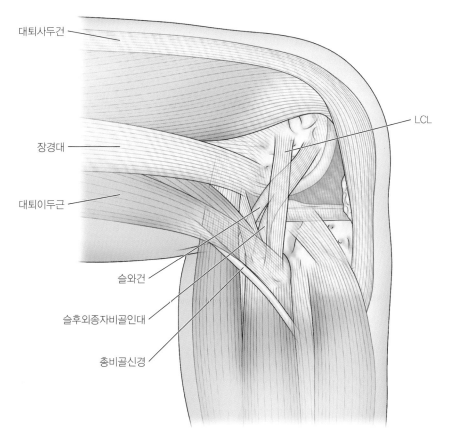

대퇴사두건

장경대

대퇴이두근

슬와건

슬후외종자비골인대

종비골신경

LCL

🔘1 외측 측부인대/후외측 구조물의 해부

PLC는 LCL, 슬와건(popliteal tendon), 슬와비골인대(popliteofibular ligament; PFL) 슬와근(popliteus muscle)으로부터 이루어진 슬와근복합체(popliteus complex), 슬후외종자비골인대(fabellofibular ligament), 궁형인대(arcuate ligament), 후외측관절막으로 구성되어 있다.

● **수술의 포인트**

복합인대손상에 대해서 재건술을 실시하는 경우, 동종 이식건을 사용하기 어려운 일본에서는 이식건을 신중하게 선택해야 한다. 그리고 PCL 재건에는 일정 기준 이상의 굵기와 길이(70 mm 이상)가 필요하므로, 반건양건(semitendinosus; ST)과 박건(gracilis tendon; G)으로 제작하는 것이 바람직하다. PLC 재건에는 150 mm 이상 필요하기 때문에 동시에 수술을 해야 하는 경우에는 반대쪽(건측)의 ST를 이용한다. 손상된 모든 인대를 가능한 해부학적으로 재건하는 것이 이상적이겠지만 그럴 경우 수술 술기는 매우 복잡해지고 그 필요성과 결과에 대해서도 논란이 계속되고 있다. PLC 재건술은 다양한 수술법(Müeller 기법, Clancy 기법, Larson 기법, modified Larson 기법, Warren 기법)이 보고된 바 있다 📷2.

또한 슬관절 내반 변형이 합병되어 있는 증례에서는 고위 경골 절골술(HTO)이 병용되기도 한다. 여기에서는 modified Larson법에 의한 재건 술식을 소개한다.

● **수술 체위**

체위는 앙와위로 한다. 환측의 대퇴부를 leg holder로 고정하고 반대측에서도 이식건을 채취해야 하므로 양하지를 모두 하수위로 한다 📷3.

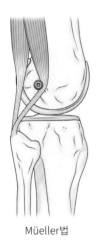 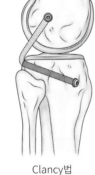 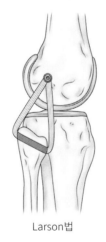 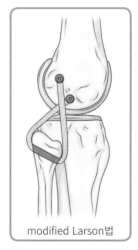 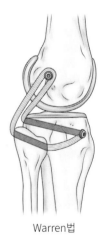

| Müeller법 | Clancy법 | Larson법 | modified Larson법 | Warren법 |

📷2 **문헌으로 보고된 다양한 PLC 재건술식**

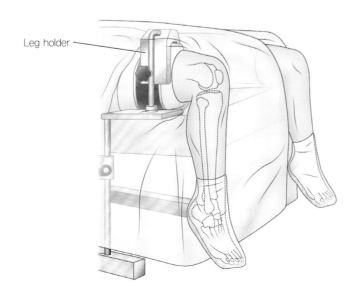

Leg holder

📷3 **수술 체위**

반대측에서의 이식건 채취를 위해 양하지를 모두 하수위로 한다.

수술 술기

PCL 재건

1 ## 이식건 채취

PCL 재건에는 일정 기준 이상의 굵기와 길이(70 mm 이상)가 필요하며 반건양건(ST)과 박건(G)으로 제작하는 것이 바람직하다.

2 ## 관절 내 시야 확보

PCL 재건을 위해서는 관절 내 PCL 부착부의 확인은 필수적이다. ACL이 보존되어 있는 경우는 특히 PCL 경골 부착부의 관찰이 곤란하기 때문에 후내측 삽입구를 제작해서 확실한 수술 시야를 확보한다. 만약, 관절경 도구 세트가 2세트 있다면, 전내측/전외측 삽입구, far lateral 삽입구/후내측 삽입구를 각각 관찰삽입구와 작업삽입구로서 구분해서 사용하면 수술은 보다 원활하게 된다 📷 4.

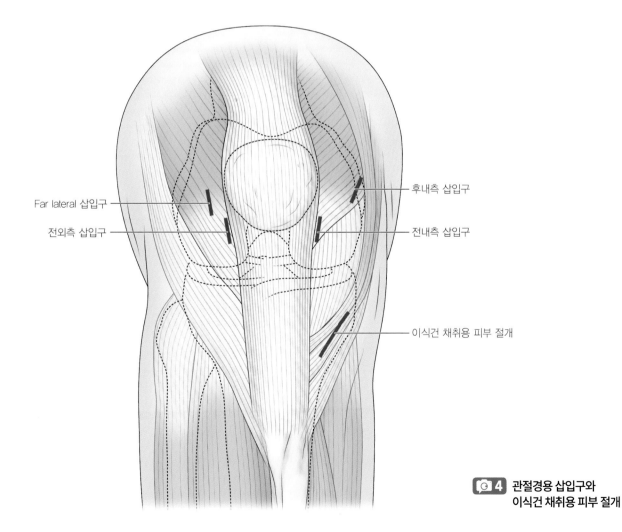

Far lateral 삽입구

전외측 삽입구

후내측 삽입구

전내측 삽입구

이식건 채취용 피부 절개

📷 4 **관절경용 삽입구와 이식건 채취용 피부 절개**

3 터널 제작

재건을 위한 PCL 터널을 대퇴골 부착부(footprint)에 전외측 삽입구 혹은 far lateral 삽입구로부터 제작한다. 대퇴측 터널 위치는 PCL의 footprint 내에, 관절연골 경계부에서 5 mm 정도 후방, Blumensaat line보다 5 mm 원위에 위치하게 한다. 경골측 터널은 후내측 삽입구로부터 70° 관절경으로 보면서, 경골 부착부의 정확한 위치를 확인해야 한다 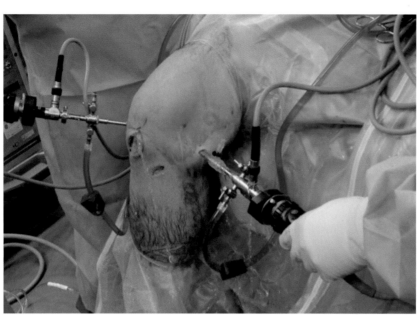 5 . 이때, 측면 방사선 영상으로 확인하면서 위치를 잡는 것도 안전을 위해서는 필요할 수 있다. 경골측 터널을 PCL의 경골 footprint 내에서 전외측 다발(ALB)은 외측 근위에, 후내측 다발(PMB)은 내측 원위라는 위치관계를 인식하면서 제작한다.

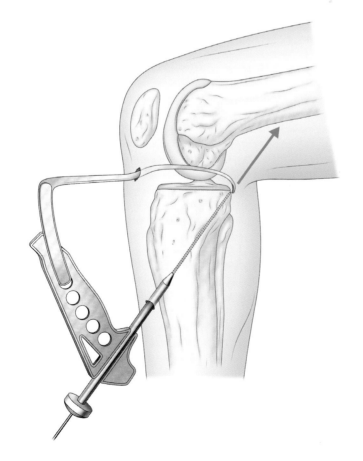

📷5 **전외측과 후내측에서**
2개의 관절경을 삽입

전외측 삽입구와 후내측 삽입구에 각각 관절경을 삽입하여 관찰삽입구로 각각 사용한다.

4 이식건 도입

이식건은 경골터널에서 도입하거나, 혹은 전외측 삽입구나 far lateral 삽입구에 cannula를 설치하여 삽입구를 통해서 도입하는 방법이 있다. 저자들은 경골터널에서의 killer turn 등 이식건이 걸리는 문제를 피하기 위해, cannula를 이용하고 있다

5 이식건 고정

대퇴골 측은 골피질에 고정하는 서스펜션형 고정 도구를 사용하며, 경골 측은 간접 고정방식(indirect fixation)으로 경골의 원위 개구부보다 더 원위에 스크류나 스테이플 등을 위치하게 해서 지지대로 이용해 고정한다. 고정 시에는 무릎 굴곡 70°로 하고 도수적으로 최대 부하를 가해서 경골 근위를 전방으로 끌어낸 상태에서 고정한다.

PLC 재건

Modified Larson 수술법은 ST를 비골에 통과시키고, 양 끝을 각각 대퇴골의 LCL 부착부와 PFL 부착부에 고정하여 재건하는 술기이다.[7]

6 피부 절개

대퇴골 외상과로부터 비골두까지 전방으로 휘어진(hockey-stick) 곡선으로 15 cm 정도 피부 절개를 한다. 대퇴이두근 후방의 지방조직 안에 있는 총비골신경을 찾아내서 주위조직에서 박리하고, 구분을 위해 테이프를 걸어 놓는다. 고도의 탈구 증례에서는 주위 조직과의 유착이 심해서, 신경의 주행이 정상과는 다를 수 있으므로, 신경의 박리에 충분한 주의를 요한다 📷6.

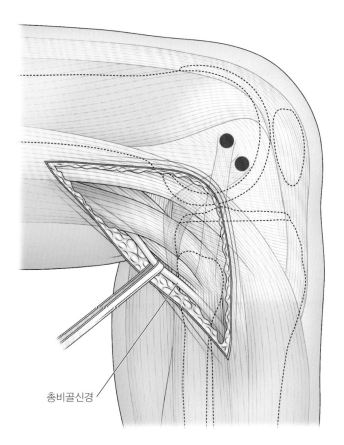

총비골신경

📷6 PLC 재건술의 피부 절개

대퇴골 외상과에서 비골두까지 전방으로 만곡된 15 cm 정도의 피부 절개를 한다. 대퇴이두근 후방 지방조직 안에 있는 총비골신경을 박리한다.

7 터널 위치 결정 및 제작

대퇴골측 위치는 대퇴골 외상과에서의 ① LCL 부착부와 ② PFL 부착부가 터널의 위치가 된다. 장경대를 섬유 방향을 따라서 절개하여 심부에 위치한 부착부를 노출시킨다. 대퇴골측은 interference screw로 고정하므로 이식건의 굵기에 맞게 7~8 mm 직경 정도로 30 mm 길이의 터널을 제작한다. 원위 터널은 비골두의 가장 두꺼운 부분인 전외측에서 후내측 방향으로 터널을 만든다. 비골두의 LCL 부착부인 전외측에서 PFL 부착부인 후내측으로 2.4 mm의 가이드핀을 삽입하고, 4.5 mm 드릴로 터널을 제작한다. 비골측 터널 제작 시에는 신경이 말려들지 않도록 신경박리를 충분히 하고, 시야를 확보해야 한다. 총비골신경이 비골을 가로질러 주행하는 부분까지 충분히 박리하고 비골두에 부착되어 있는 건을 골막하(subperiosteal)까지 박리해 둔다. 또한 비골 근위의 골피질의 파열(blow out)을 일으키지 않기 위해서는 ACL 드릴 가이드의 사용이 유용하다.

8 고정법

이중으로 접힌 이식건을 비골측 터널을 통과한 상태에서 삼각형 모양으로 만들고, 슬관절에 외반력을 도수적으로 긴장을 가한 상태에서 대퇴골측 터널로 끌어들여 슬관절 신전위로 바꾼뒤, 각각의 대퇴골측 터널에 이식건을 유도하여 interference screw로 고정한다 📷 7, 8 . 수술 후 4주까지는 하중부하를 하지 않는다.

> **코멘트** **NEXUS view**
>
> PLC 재건에서 비골근위의 골피질 파열과 총비골신경의 손상에 주의한다. 진구성 무릎탈구 증례에서는 총비골신경의 주행이 정상이 아닌 경우가 많고, 또 주위 조직과의 유착이 고도로 진행된 경우가 있다. 이때는 충분한 신경박리와 시야 확보가 중요하다.

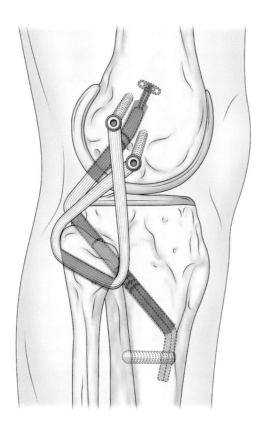

📷 **7** **PLC 재건술**

이중으로 접힌 이식건을 비골측 터널에 통과시키고 삼각형 모양으로 만들어서 슬관절에 외반력을 도수적으로 가한 상태에서 대퇴골 측 터널로 진입시켜 슬관절 신전위에서 interference screw에서 고정한다.

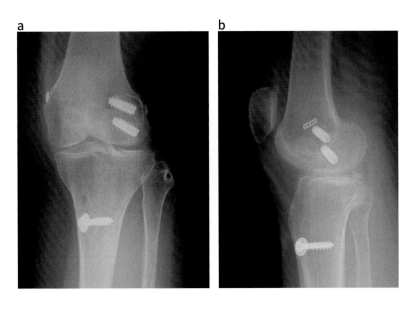

📷8 PCL, PLC재건술 후 X선 영상

a: 정면상
b: 측면상

　진구성 증례의 복합인대손상에서 PCL과 후외측 구조물의 동시 재건은 무릎기능 개선에 있어 중요한 수술법이지만, 급성기 초기 치료의 중요성을 잊어서는 안 된다. 특히 PLC 손상은 진단, 치료 모두에서 아직 과제가 많다. 진구성 증례는 예후도 불량하고 재건 수술 성적도 현재까지는 안정된 결과를 보여준다고 할 수 없다. 손상 초기에 정확하게 진단하고, 필요한 경우 가능한 급성기에 수복(repair)을 하는 것이야말로 치료의 기본이다.

　복합인대손상에 대하여 복수의 인대를 동시에 재건하는 경우, 동종이식건 사용이 어려운 일본에서는 이식건의 선택이 문제가 된다. 측부인대 재건에 사용하는 이식건은 충분한 길이가 필요하므로 ST를 사용하는 것이 바람직하다.

　또한 연부조직의 손상이 고도일 경우에는 환측의 ST채취가 어려울 수 있다는 점을 감안하여 골편이 부착된 슬개건은 물론이고 대퇴사두근이나 장경대 등 다른 이식건을 채취할 수 있는 능력을 갖고 있어야 한다. 또한 각각의 재건 인대의 터널의 삼차원적인 위치 관계를 잘 이해해서 각각 서로 간섭하는 일이 없도록, 제작 방향에 세심한 주의가 필요하다. 고도의 탈구 사례에서는 혈관손상 유무, 혈관 주행에 대해 수술 전에 확실히 재확인해두지 않으면 안 된다. 수술이 장시간이 될 가능성이 있으므로 관절 외의 처치는 가능한 지혈대를 사용하지 않고 실시하도록 한다.

참고문헌

1) 福林　徹. 膝関節の機能解剖とバイオメカニクス. ヴォアラ膝. 第2版. 小林　晶, 鳥巣岳彦編. 東京:南江堂;1994. p3-24.

2) Girgis FG, Marshall JL, Monajem A. The cruciate ligaments of the knee joint. Anatomical, functional and experimental analysis. Clin Orthop Relat Res. 1975;106:216-31.

3) Harner CD, Xerogeanes JW, Livesay GA, et al. The human posterior cruciate ligament complex:an interdisciplinary study. Ligament morphology and biomechanical evaluation. Am J Sports Med, 1995;23:736 45.

4) Amis AA, Gupte CM, Bull AM, et al. Anatomy of the posterior cruciate ligament and the meniscofemoral ligaments. Knee Surg Sports Traumatol Arthrosc. 2006;14:257-63.

5) Fanelli GC, Edson CJ. Posterior cruciate ligament injuries in trauma patients:Part Ⅱ. Arthroscopy. 1995;11:526-9.

6) Veltri DM, Deng XH, Torzilli PA, et al. The role of the popliteofibular ligament in stability of the human knee. A biomechanical study. Am J Sports Med. 1996;24:19-27.

7) Fanelli GC, Larson RV. Practical management of posterolateral instability of the knee. Arthroscopy. 2002;18(2 Suppl 1):1-8.

슬개골

IV. 슬개골
MPFL 재건술

간사이 산재 병원 스포츠정형외과 **토리즈카 유키요시(Yukiyoshi Toritsuka)**

Introduction

수술 전 고려 사항

슬개골불안정성에는 여러 가지 분류가 있는데, 본 편에서는 반복성 슬개골탈구에 대한 수술을 중심으로 기술한다. 반복성 슬개골탈구는 탈구를 유발하는 요인을 환자가 기왕력으로 가지고 있는 상태에서, 무릎에 외력이 가해져서 발생하고, 보통 슬개골이 외측으로 탈구한다. 반복성 슬개골탈구에서는 상당수에서 내측슬개대퇴인대 (medial patellofemoral ligament; MPFL)의 손상[1]이 관찰되며, 해당 인대는 기초 연구를 통해서도 슬개골 외측 탈구에 대해서 제동을 담당하는 주요한 조직으로 밝혀지고 있기 때문에,[2] 탈구 시에 MPFL을 재건하는 것은 합리적인 치료방법이라고 할 수 있다. 비록 본 수술방법은 탈구를 유발하는 해부학적 요인을 각각 정상화시키는 것이 아니라, 슬개골 트래킹의 안정화를 주목적으로 한 것이지만, 장기 성적도 양호하고 합병증도 적은 것으로 보고되고 있다.[3]

● 적응증과 금기증

고려해야 할 중요한 점은 다음 세 가지이다.

① 골단선(epiphyseal line)의 폐쇄 유무

② 연골골절 혹은 슬개골 내측연의 견열골절(avulsion fracture) 유무

③ 일회성 탈구(primary dislocation)인가, 반복 탈구(recurrent dislocation)인가?

수술 진행[5]

반복성 슬개골탈구
1 진단적 관절경
2 이식건 채취
3 MPFL 접근
4 대퇴골터널 제작
5 슬개골터널 제작
6 이식건 도입
7 고정
8 트래킹 확인
9 VMO와의 봉합
10 수술 후 재활
슬개골 내측연 견열골절
1 MPFL 봉합술

저자가 현재 시행하고 있는 골단선이 폐쇄된 환자군에서의 슬개골 불안정성 치료 방침을 (사진1) 에서 제시한다. 수술은 슬개골, 대퇴골 양쪽 모두에 터널을 제작하여 이식건을 pull-out해서 고정하는 방법을 이용한다. 연골골절을 동반하지 않은 반복성 슬개골 탈구례가 좋은 적응증이다. 임상양상을 감안하면 일회성 탈구 후에 반복 탈구로 진행하는 비율이 10~40% 정도로 보고되고 있기 때문에 연골골절을 수반하지 않는 일회성 탈구례에서는 보존요법이 적용되는 경우가 많다. 그러나 이러한 경우에서 보존요법의 성적이 반드시 만족스럽다고는 할 수 없기 때문에 이학적 검사 및 슬개골 트래킹 등을 감안하여 재탈구의 위험이 높다고 판단되면, 일회성 탈구라고 하더라도 수술 적응증에 해당된다고 생각한다. 연골골절이 수반된 증례에서는 MPFL 재건술과 연골 정복 및 고정술을 급성기에 병용해서 수술하게 되면 관절 구축(stiffness)의 위험이 높아지므로 충분한 주의가 필요하다. First stage로 연골 정복 및 고정술을 시행하고, second stage로 MPFL 재건술을 고려하는 것이 하나의 방법이다. 박리된 골편이 슬개골 내측연에 보이는 증례는 MPFL의 견열골절(avulsion fracture)로 간주하고 MPFL에 봉합사를 걸어서 슬개골의 외측연으로 pull-out을 시행하는 MPFL repair[4]가 효과적이다. 또한, 슬관절이 굴곡함에 따라 슬개골이 탈구되는 습관성 탈구의 경우에는 MPFL 재건술과 더불어 광범위한 외측지대유리술이 필요할 수 있다.

골단선 폐쇄되지 않은 환자에서는 수술이 골단선을 손상시킬 위험이 있으므로 터널을 제작하는 방법을 사용할 수 없다. 이 경우에는 보장구 등을 이용한 보존요법으로 골단선 폐쇄를 기다린다. 이러한 보존요법으로도 탈구가 반복되거나 불안정감이 강한 경우에는 터널을 제작하지 않는 수술법을 검토한다. 구체적으로는 외측지대유리술과 내측 중첩술(medial plication) 등을 통해서 시간을 버는 것(time-saving)이다. 이는 골단선이 폐쇄된 후에 안정적인 임상성적이 보장되는 MPFL 재건술로 원활히 전환하기 위해서 필요한 이식용 반건양건을 보존하려는 임시방편이라 할 수 있다.

● **마취**

　전신마취나 요추마취로 실시한다.

● **수술 체위**

　양와위로 실시한다. 이식건을 고정할 때는 45° 굴곡위에서 해야 하므로
lateral bar 등을 설치하여 45° 굴곡위를 유지하기 쉽게 한다 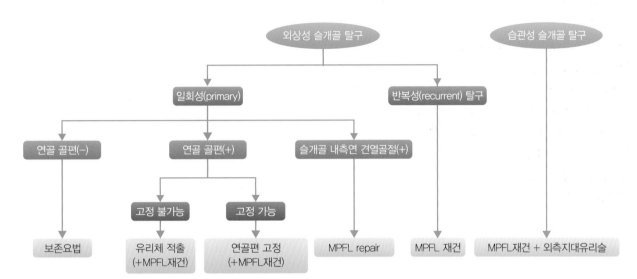.

🎥**1** 본원에서의 골단선 폐쇄 상태의 슬개골탈구 증례의 치료 방침

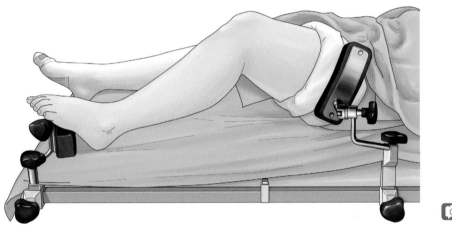

🎥**2** 수술 체위

Fast **C**heck

❶ 탈구 요인의 근본적인 교정이나 X선상의 정렬상태에 대한 정상화를 실시하지 않기 때문에, 수술 후에도 탈구
되기 쉬운 상태가 지속될 가능성이 있다. 따라서 정상 MPFL보다 더 큰 역학 강도를 가질 수 있는 반건양건을
이용하는 것이 안전하다.

❷ 슬개골 골절을 예방하기 위해, 터널의 소켓은 깊이 10 mm 정도로 하고, pull-out을 위한 터널은 1.8 mm 직
경의 K-wire를 이용한다.

❸ 고정 시에는 슬개골의 가동성을 고려하면서 실시한다. 고도 굴곡이 원활하게 이루어지는지 확인해야 하며, 신
전 상태에서는 슬개골에 적당한 가동성이 있음을 확인해야 한다. 지나치게 강하게 고정하면 슬개골이 내측 하
방으로 견인되어 슬개-대퇴관절의 압력을 상승시켜 관절 연골을 손상시킬 위험이 높아진다.

❹ 전방십자인대 손상처럼 정상적인 인대가 외상으로 손상된 것이 아니라 환자가 다양한 탈구 요인을 가지고 있
는 상태에서 탈구가 일어나고 있는 상황이기 때문에, 모든 증례에 표준화된 수술 방법을 일률적으로 적용할 수
는 없다. 각각의 증례에 대한 특징을 확인한 후 수술 방법을 선택할 필요가 있다.

수술 술기

반복성 슬개골 탈구

1 진단적 관절경

전내측 및 전외측 삽입구를 통해 관절경과 프로브를 넣어 관절 내부를 관찰한다 📷3. 특히 슬개골과 대퇴골 외과의 연골골절의 유무 등에 대해서는 확실하게 관찰해야 한다. 연골골절이 없더라도 슬개골 관절면에 다양한 정도의 연골손상이 있을 수 있으므로 주의한다. 고도의 연골손상을 입은 경우에는 수술 후에도 무릎에 걸리는 느낌이 발생하거나 술 후 부종의 원인이 되므로, 필요에 따라 고주파 (radiofrequency energy; RF) 장치를 이용하여 관절면을 정리해 두는 것이 필요할 수 있다.

그 후에, 상외측 삽입구에서 관절경을 삽입하여 근위에서부터 상태를 평가한다 📷3. 관절 연골의 평가와 더불어 무릎을 굴곡–신전시켜 보면서 슬개골 트래킹의 특징을 파악해둔다. 굴곡에 따라서 슬개골이 외측으로 편위하는 경우에는 외측지대유리술을 추가로 고려한다. MPFL은 신전 상태에서 주로 작용을 하기 때문에, 단독으로 재건술을 시행하면 굴곡위에서의 외측 탈구를 제어하는 것은 어려울 수 있기 때문이다.

> **코멘트 NEXUS view**
>
> 상외측 삽입구를 통한 관절경 시야는 슬개–대퇴관절의 근위 부분을 관찰하는데 유용하며 트래킹 평가도 쉽다. 추가로, 후술하겠지만 대퇴골터널을 제작하기 위한 K-wire를 상외측 삽입구를 통해서 외부로 나오게 하면 추가적인 피부 손상을 줄일 수 있다.

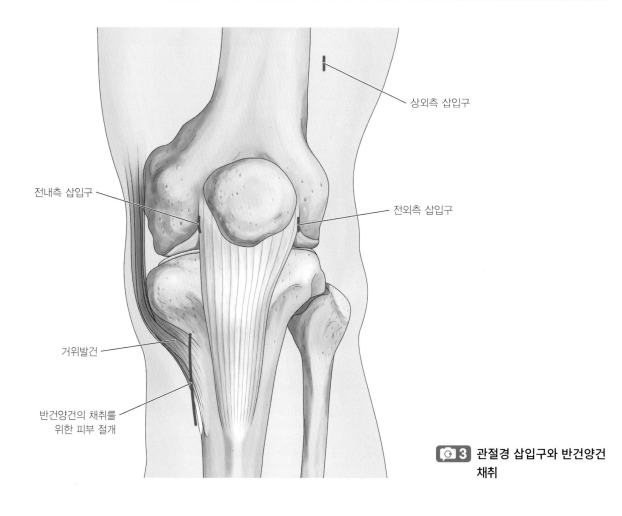

상외측 삽입구

전내측 삽입구

전외측 삽입구

거위발건

반건양건의 채취를
위한 피부 절개

📷3 **관절경 삽입구와 반건양건 채취**

2 이식건 채취

거위발건 경골 부착부에 3 cm 피부 절개를 가하여 거위발건을 확인하고 박건, 반건양건을 박리한 후 반건양건을 경골 부착부에서 박리하여 채취한다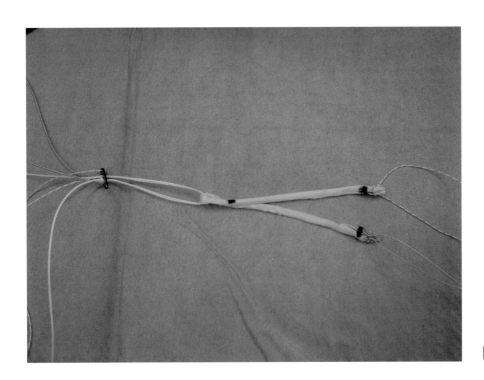. 본 수술 방법으로는 환자의 기왕력이라고 할 수 있는 탈구 요인이 수술 전과 수술 후에 큰 변화가 생긴다고 볼 수 없기 때문에, 재건된 MPFL에 걸리는 부하가 정상 MPFL과 비교해서 더 커야 한다. 따라서, 보다 큰 역학적 강도를 갖을 수 있는 반건양건을 사용해야 한다. 채취한 이식건을 10~11 cm 정도가 되게 이중으로 접고, 양쪽 끝을 2호 Fiber Wire® (Arthrex)를 이용해 running suture한다. 루프 쪽에는 ACL Tight Rope® RT (Arthrex)를 사용한다 4 .

코멘트 **NEXUS view** ///

예정되었던 반건양건이 아닌 박건이 채취되는 것을 예방하기 위해서는 반건양건을 채취할 때 반드시 박건을 따로 박리해서, 박리전에 반건양건과 분리해둔다.

4 이식건

3 MPFL 접근

슬개골 내측연의 중앙 부위에서 대퇴골 내상과 후방까지 5~7 cm의 가로로 피부 절개를 한다. 피하조직을 박리 후, 표층 근막에 도달하면 슬개골의 내측연 중앙 부위에서 내측 광사근(vastus medialis oblique; VMO)의 하연을 따라 내전근 결절(adductor tubercle)까지 횡으로 절개해서 슬관절의 제II층(중간층)에 도달한다. 제II층에 존재하는 MPFL은 대퇴골에서는 내전근 결절의 원위에, 슬개골에서는 내측연의 근위 2/3에 부착되는데, 간혹 중간 광근(vastus intermedius)의 건성(tendinous portion) 부분에도 MPFL이 부착된다는 보고가 있으며, 대퇴골측에 비해 슬개골측에는 부채꼴 모양으로 넓은 부착부를 갖는다. 대퇴골 측에서의 손상이 대부분이지만, 반복 탈구례에서는 흉터(scar)조직으로 변해서 알기 어려운 경우가 많고, 또 슬개골 측에서는 VMO의 섬유와 융합되어 있기 때문에 주변 조직 사이에서 MPFL을 무리하게 박리하지 않도록 주의한다 ⓒ5. 다시 말하자면, 건성조직을 MPFL 주행과 유사하게, 슬개골의 내측연 중앙에서부터 VMO의 하단을 따라서 내전근 결절까지 절개하여 관절막에 도달한다.

코멘트 **NEXUS view** ///

횡절개하는 것이 접근하기가 좋아서 수술이 쉽다. 주변 조직의 손상을 가급적 피하기 위해서는 MPFL 주행을 따라 절개하면서 관절막에 도달하는 것이 좋다. 광범위한 MPFL 슬개골 부착부를 모두 재건하는 것은 불가능하므로 슬개골 중앙부 부근의 재건하는 것을 주 목표로 한다.

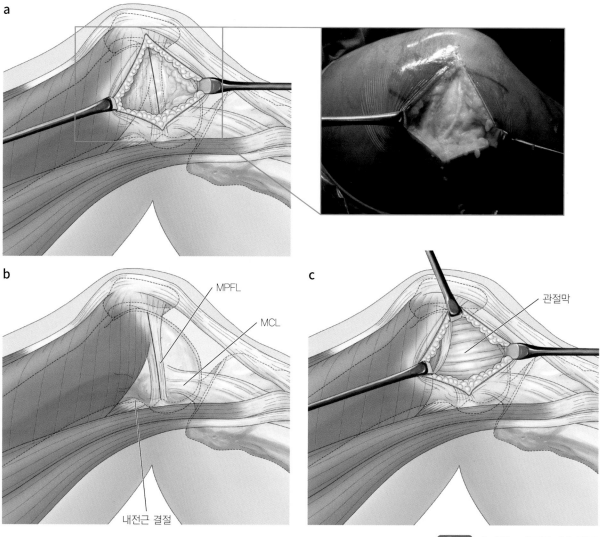

a

b

MPFL

MCL

내전근 결절

c

관절막

ⓒ5 슬개골·대퇴골 내측 접근

4 대퇴골터널 제작

내전근 결절 원위에서 2.4 mm 직경의 K-wire를 삽입한다. 확인할 수 있는 지표(landmark)는 내전근 결절, 대퇴골 내상과 정도인 반면에 주변 골피질에 혼동을 야기할 수 있는 요철(凹凸)이 존재하기 때문에 위치를 결정하는 데 시간이 걸리는 경우가 많다. 해부학적 지표로서 내전근 결절의 원위 및 내상과(MCL 부착부)의 후방을 목표로 한다. X선 측면상에서 Schottle 등이 보고한 위치를 참고로 한다. 내측측부인대(medial collateral ligament; MCL)의 위치를 확인한 후 대퇴골 내상과를 찾아내면 전방으로의 삽입을 피할 수 있다. 또한 과도하게 후방으로 향하게 되면 K-wire는 대퇴골 내과를 관통해서 관절내로 나왔다가 다시 대퇴골 외과의 후측면으로 삽입되는 형태가 되므로 X선에서 확인하는 것이 유용하다. X선 확인 시에는 K-wire의 끝을 안쪽 피질골까지 진입해두고, 정확한 진입 위치를 확인하기 위해서 정면, 측면, 슬개골 축상(axial), 3방향에서 촬영하도록 한다 📷6. 삽입한 K-wire를 가이드로, 이식건의 굵기에 맞춰서 5~6 mm 직경으로 오버드릴해서 터널을 필요한 깊이까지 제작한다. 그 후 4 mm 직경의 드릴로 ACL Tight Rope® RT를 pull-out 하는 터널을 안쪽 피질골(far cortex)까지 관통시킨다. 대퇴골터널 전장 길이를 ENDOBUTTON® Depth Gauge (Smith & Nephew사)를 이용하여 계측한다.

코멘트 **NEXUS view** ////

X선 촬영은 잘못된 터널 제작을 막기 위해서도 반드시 정면, 측면, 슬개골 축방향(axial)의 3방향에서 촬영하되, 어디까지나 보조수단이라는 것을 인지해야 한다. 터널 제작 위치는 내전근 결절, 대퇴골 내상과, MCL을 박리한 후에, 어디까지나 수술 시야에서 확인하여 먼저 결정한다. 그 후, 확인 수단으로서 X선 촬영을 실시하면 안전하게 위치를 결정할 수 있다.

a
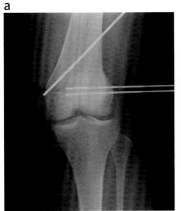

b
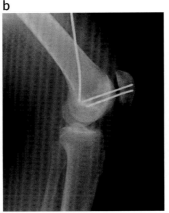

c
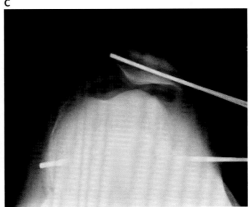

📷6 **X선 컨트롤**

a: 정면상
b: 측면상
c: 슬개골 축상

5 슬개골터널 제작

먼저 슬개골 외측연에 1~2 cm의 피부 절개를 하고 슬개골 외측연까지 박리해서 노출시키고, 내측에서 진입하는 K-wire의 출구를 미리 만들어 놓는다. 그 후 슬개골 내측연의 골피질을 노출시키고 터널 제작 위치에 K-wire 2개를 삽입한다. 이때 주의해야 할 점은 ① 슬개골 전면부 피질에 대하여 수평하게 진입할 것, ② 얇은(thin) K-wire를 삽입할 것, ③ 진입 후에 슬내골 내부에서 방향을 바꾸는 것을 최대한 삼갈 것, ④ 2개의 K-wire를 가능한 서로 평행하게 진입하는 것이다.

① K-wire가 슬개골 전면부 표층의 골피질을 관통하면 골절의 위험이 높아진다고 알려져 있으며, 반대로 관절 내로 향하게 되면 연골하골의 손상 및 연골박리 등의 우려가 있기 때문이다.

② 깊이 10 mm 정도의 소켓을 제작하기 위한 가이드와이어이므로, 1.8 mm 직경의 K-wire이면 오버드릴해도 어느 정도의 흔들림은 무시할 수 있으며 봉합사를 꺼내는 것도 용이하게 할 수 있다.

③ K-wire 삽입으로 인한 수술중 슬개골 골절의 위험을 고려한 것이다. 진입 위치는 두 소켓 중에 원위의 터널이 슬개골 내측연 중앙에서 근위에 위치하게 한다. 그러나 만약 중앙에서 약간 원위에 삽입이 되었다면, 여러 번 다시 반복해서 재삽입을 시도하기보다는 원위에 제작된 터널을 그대로 사용하는 것이 좋다.

④ Cutting through를 피하기 위해서이다. 외측 가장자리에서의 근위와 원위 터널의 간격이 극단적으로 벌어지게 되면 이식건에 견인력이 걸렸을 때 봉합사가 터널 안에서 해면골을 침범하면서 봉합사의 걸리는 장력이 느슨해져 고정력이 떨어질 우려가 있다 .

슬개골 외측부터 삽입한 K-wire의 뒷부분이 원하는 위치의 슬개골 내측연에 도달하도록 X선 투시장치를 통해서 조절한다 6. 대퇴골 측 K-wire 컨트롤과 함께 하면 된다.

코멘트 NEXUS view ////

K-wire를 삽입할 때는 무릎을 고정한 상태에서 수평을 기준으로 어느 정도로 기울여서 진입해야 하는지 알기 위해서 수술 전 슬개골 축상(axial)에서 슬개골 외방 경사를 참고한다. 적절한 방향으로 삽입되었을 경우, 저항없이 외측으로 빠져 나간다. 저항감이 강할 경우에는 표면의 골피질 혹은 연골하골을 침범했다고 간주하고 방향을 바꿔야 한다.

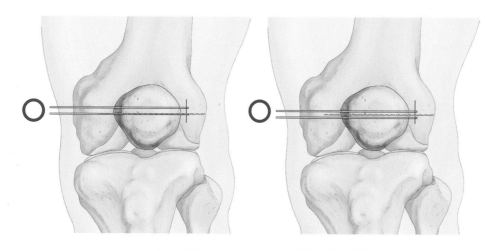

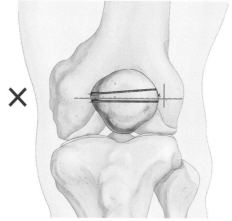

7 슬개골터널 제작 시 주의점

6 이식건 도입

슬개골 쪽에서부터 이식건을 도입한다. 원위 터널에 반건양건의 경골 부착부측, 근위 터널에 근건이행부측을 넣도록 하고 있다. 이식건의 끝부분을 터널 깊숙이 끌어들인 후 이식건에 걸린 봉합사를 외측연의 터널을 통해서 꺼낸 뒤에 cutting through를 피하기 위해서 ENDOBUTTON (Smith & Nephew 사) 위에 봉합한다. ENDOBUTTON에는 구멍이 4개이므로 출구의 간격에 맞추어 선택하면 된다. 단, 환자가 통증을 호소하는 경우도 있고, 후일 제거해야 할 필요가 있을 수 있으므로 가급적 작은 사이즈를 사용하는 것이 좋다. 다음으로 대퇴골 쪽으로 ACL TightRope® RT의 리드실을 꺼내서 Trocar Tip Passing Pin® (Smith & Nephew사)을 사용하여 대퇴골 외측으로 빼낸다. 외측 상외측 삽입구로 빠져나가도록 하면 피부 손상을 줄일 수 있다.

계측해둔 대퇴골터널 전체 길이에 맞추어서 ACL TightRope® RT의 루프 부분의 길이를 미리 조정해둔다. 너무 짧으면 고정장치가 터널에서 나오지 않고, 너무 길면 근육으로 들어가 버리기 때문에 터널과 같은 길이로 조정해두면 좋다. 이식건 본체가 뒤틀리지 않도록, 또한 길이가 고르게 하기 위해서 right angle이나 hook 등으로 장력을 가한 상태로 C-arm 등으로 관찰해가면서 TightRope®을 유도한다. 이식건이 터널 입구에 도달했을 때가 TightRope®이 터널 출구로 나오려는 상태이므로 X선 투시 하에 확인하면서 TightRope®을 플립하여 되돌리고, 골피질 위에 고정하도록 한다. 리딩실을 과도하게 당기면 근육 내로 파고들어 플립이 되지 않으며, 플립을 해도 약간 들떠있게 되는 경우가 있다. TightRope®가 골피질에 있는 상태에서, 조수(assistant)에게 right angle로 당기게 하면서 이식건에 장력을 주게 하고, 무릎을 굴곡 45° 상태로 하게 한 뒤 adjustable suture를 신중하게 줄여 나간다 📷8.

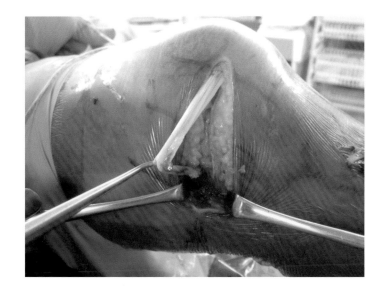 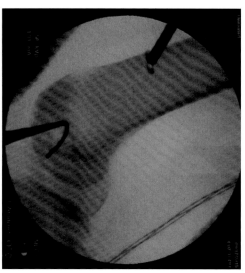

📷8 이식건의 진입과 고정 ①

Adjustable suture를 조절할 때 TightRope® Tensioner AJ (Arthrex)를 사용하면 버튼으로 누르면서 장력을 조절할 수 있어 편리하다 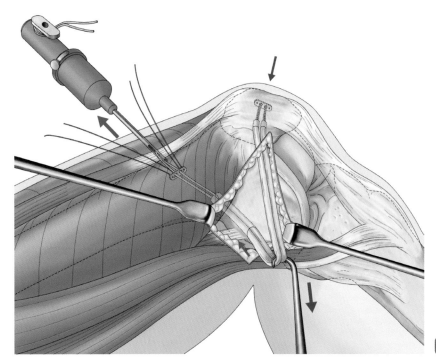9. 단 다이얼의 눈금이 크고, 너무 강하게 조여질 수 있으므로 주의가 필요하다.

코멘트 **NEXUS view** ////

슬개골 측 터널의 직경은 통상 4~5 mm 정도이다. 이식건의 가장자리는 봉합사로 인해서 굵어지는 경향이 있으므로 충분한 장력 하에 당겨놓으면서 조여둔다. 진입하기 어려운 경우에는 소켓의 입구를 큐렛 등으로 조금 확대하는 것도 원활하게 통과하는 것에 도움이 된다. 대퇴골측 고정장치가 근육 내로 들어가 버린 경우는 일단 처음으로 돌아가서 다시 시작한다. 도저히 처음 단계로 돌아가지 못하는 경우에는 대퇴골 외측에 피부 절개를 하고 대퇴사두근을 섬유방향에 따라 갈라서 접근한 뒤, 고정장치를 골피질에 핏팅한다.

ACL TightRope® RT 대신 손으로 조이는 ACL TightRope®를 사용하는 방법도 있다. 이 경우에는 adjustable suture와 이식건이 같은 터널 내를 서로 역방향으로 통과하게 된다. 이 때문에 이식막이 뒤틀리고 긴장이 불균형해지는 것을 피하기 위해서 조금 큰 터널을 만드는 등의 추가사항을 염두에 둘 필요가 있다. 또한 터널과 이식건 사이에 suture가 끼어있게 되면, 골피질로의 고정이 저해된다는 단점도 있다.

9 이식건의 진입과 고정 ②

7 고정

조금 느슨한 정도의 장력 하에서 무릎을 가동 범위 전체로 움직여 보면서 장력의 패턴을 확인해 본다. 신전위에서 장력이 걸리는 것을 확인한 후, 슬개골을 좌우로 움직여보면서 가동성이 적절한지 확인한다. 조금 느슨한 것 같으면 다시 굴곡 45°로 하고, 신중하게 조여가는데 신전위에서 건측과 같은 정도의 가동성이 있도록 확인을 반복한다. 신전위에서 조이면 슬개골이 과도하게 내측으로 이동하게 된다. 그렇게 되면 슬개골을 상당히 내측으로 편위시킨 상태로 만들어 낼 위험이 있으므로 반드시 굴곡위에서 조인다.

최종적으로 무릎의 가동 범위에서 제한이 없는지, 이식건의 긴장도, 슬개골의 가동성을 확인한다. Adjustable suture는 Suture Cutter (Arthrex)로 절단한다. 굴곡하면 슬개골의 외측 편위가 강해지는 트래킹을 보이는 증례의 경우 45°로 고정했을 경우 굴곡으로 인해 더욱 긴장이 높아질 수 있다. 이러한 경우는 슬개골 외측의 피부 절개를 확장해서 직시 하에 혹은 관절경으로 보면서 radio frequency energy를 이용하여 외측지대 박리를 실시한다. 외측지대는 슬개골 외측 가장자리를 따라서 박리한다. 습관성 탈구에 가까운 트래킹이라면 그 정도가 커지기 때문에 필요에 따라 원위는 슬개건을 따라 경골 조면 부근까지, 근위는 외측 광근과 장경대 사이까지 박리한다.

주의! **NEXUS view** ///

장력이 과도하게 걸린 경우에는 루프를 끊고 다시 시도한다. 장력이 너무 강하면 슬개-대퇴관절의 접촉압력을 증가시켜 관절증 발생이 우려되기 때문이다. 절단된 adjustable suture 대신 5호 비흡수사 등을 이식건의 루프 쪽으로 통과시키고, 대퇴골 쪽에 이식건을 다시 도입한다. 피부 절개를 추가하여 터널 출구까지 박리하면 분리된 버튼을 사용하여 적절히 고정할 수 있다. 피부 절개를 추가하는 것을 주저하지 않도록 한다.

8 트래킹 확인

마지막으로 상외측 삽입구로 관절경을 삽입하고 슬개골의 트래킹을 관찰한다. 관류액이 들어간 상태에서도 슬개골이 활차를 누르는 형태로 보이면서, 원활하게 슬관절이 활차 위를 미끄러지는 것을 확인해야 한다.

9 VMO와의 봉합

이식건을 덮듯이, 앞서 주행을 따라서 박리된 MPFL을 봉합한다. 이때, 이식건의 중앙에서 슬개골측은 VMO와 연속되도록 봉합해둔다. VMO의 섬유 주행 방향으로 인한 슬개골을 내측으로 당기는 기능을 유지하기 위해서이다 🎥10.

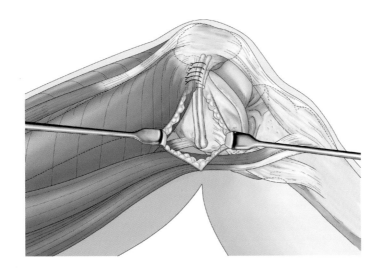

🎥10 VMO와의 봉합

10 수술 후 재활

수술 후 2주간은 경도 굴곡 상태로 보장구를 통해서 고정한다. 이후 관절가동범위 확대 훈련을 개시한다. 하중은 수술 후 3주 경과시점에서 1/3 하중, 4주 경과시점에서 2/3 하중, 5주 경과시점에서 전체하중으로 한다. 수술 후 3개월에 조깅을 시작하여 6개월 만에 스포츠 복귀를 하도록 하고 있다.

슬개골 내측연 견열골절

1 MPFL 봉합술[4]

슬개골 내측연에 박리된 골편이 있는 경우는 골편에 MPFL이 부착되어 있으므로 MPFL 재건술을 시행한다. 골편을 MPFL에서 박리해서 제거한 후, MPFL에 2호 FiberWire®를 박리부위의 크기에 따라 1~2개를 이용하여 baseball glove (simple continuous running) suture를 실시한다. 슬개골의 골편 박리 부위를 preparation해서 재건술과 마찬가지 방법으로 외측으로 1.8 mm 직경 K-wire로 2~3개의 터널을 제작한다 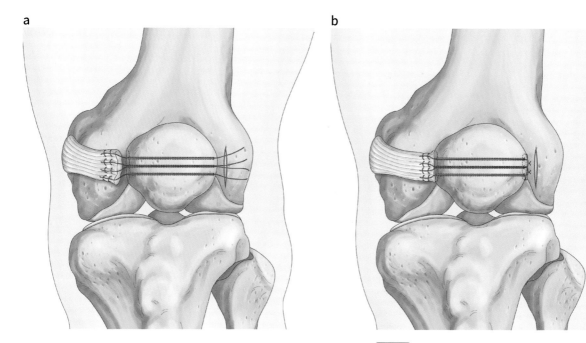. 슬개골의 외측 가장자리에 2 cm 절개를 해서 슬개골까지 박리한 후 Suture Retriever (Smith & Nephew사)를 이용하여 봉합사를 반대쪽으로 끌어내어 버튼 위에서 봉합한다. 박리골편이 크고 먼 위치에까지 도달하는 경우에는 내측 슬개경골인대(medial patellotibial ligament; MPTL) 등도 박리된 골편에 부착되어 있을 수 있으므로, 봉합사를 더 많이 걸어서 동일한 방법으로 봉합한다.

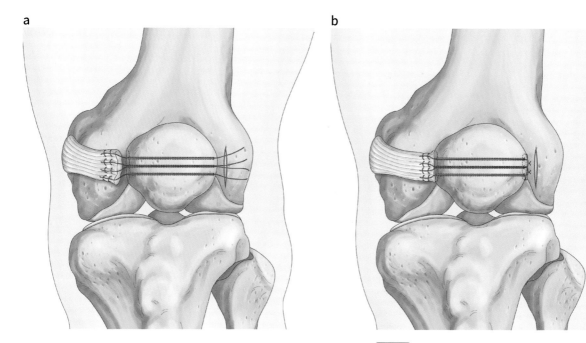

a   b

📷 11 슬개골의 내측 가장자리에서의 견열골절에 대한 MPFL 수리술

코멘트 **NEXUS view**

골편을 적출하는 이유는 인대 부착부의 얇고 작은 골편을 접합하려고 하면 오히려 파괴되어 정복 및 고정이 되지 않을 위험성이나, 관절가동범위 재활과정에서 인대에 당겨져 접합부가 분리되고, 가관절(pseudoarthrosis)이 될 위험이 있기 때문이다. 또한 골편을 제거함으로써 MPFL에 장력을 걸 수 있는 이점도 있다.

참고문헌

1) Nomura E. Classification of lesions of the medial patello-femoral ligament in patellar dislocation. Int Orthop. 1999;23:260-3.

2) Desio SM, Burks RT, Bachus KN. Soft tissue restraints to lateral patellar translation in the human knee. Am J Sports Med. 1998;26:59-65.

3) Nomura E, Inoue M, Kobayashi S. Long-term follow-up and knee osteoarthritis change after medial patellofemoral ligament reconstruction for recurrent patellar dislocation. Am J Sports Med. 2007;35:1851-8.

4) Toritsuka Y, Horibe S, Hiro-Oka A, et al. Medial marginal fracture of the patella following patellar dislocation. Knee. 2007;14:429-33.

5) Toritsuka Y, Amano H, Mae T, et al. Dual tunnel medial patellofemoral ligament reconstruction for patients with patellar dislocation using a semitendinosus tendon autograft. Knee. 2011;18:214-9.

6) Schöttle PB, Schmeling A, Rosenstiel N, et al. Radiographic landmarks for femoral tunnel placement in medial patellofemoral ligament reconstruction. Am J Sports Med. 2007;35:801-4.

IV. 슬개골

경골조면 전내측–원위 전이술

히로사키대학 대학원 의학연구과 정형외과학강좌 **츠다 에이이치(Eiichi Tsuda)**
히로사키대학 대학원 의학연구과 정형외과학강좌 **이시바시 야스유키(Yasuyuki Ishibashi)**

Introduction

수술 전 고려 사항

슬개골불안정성은 다양한 과거력 및 해부학적 요인을 배경으로 발생하기 때문에 그 치료를 위해서는 이학적 소견이나 영상 소견을 토대로, 가장 불안정성에 관여하고 있다고 판단되는 요인을 찾아내서 최적의 수술법을 선택하는 것이 중요하다.[1]

저자들은 지금까지 경골조면의 외측 편위가 있는 반복성 슬개골탈구에 대해서 경골조면 전내측 이행술(Fulkerson법)[2]을 일차적 치료방법으로 시행하였다. 수술 후 7년 이상의 중기 임상성적은 대체로 양호했지만, 수술 후 재탈구나 불안정감이 잔존하는 증례에서 슬개골 고위를 나타내는 경우가 유의하게 많아 성적 불량의 원인 인자[3]가 되고 있었다. 본 결과에 근거하여 현재는 슬개골 고위가 있는 슬개골 불안정성에 대해서 경골조면 전내측–원위 전이술을 우선으로 시행하고 있다. 본 편에서는 수술 술식을 중심으로 소개한다.

수술 진행

1. 마취하 이학적 검사
2. 진단적 관절경
3. 피부 절개 및 수술적 접근법
4. 절골술
5. 전내측-원위 전위
6. 골이식 및 창상봉합
7. 수술 후 재활
8. 스포츠 선수에게 발생한 슬개골불안정성

● 수술 적응증

저자들은 다음과 같은 조건을 충족한 반복성 슬개골탈구에 대하여 경골조면 전내측–원위 전이술을 시행하고 있다.

① 신장 증가의 추이 등을 바탕으로 growth spurt (급성장기)가 종료된 상태라고 판단되고, 영상 검사상으로도 슬관절 주위의 골단선이 폐쇄된 상태

② CT·MRI 영상으로부터 tibial tuberosity–trochlear groove distance (TT-TG)를 계측하여 TT–TG ≧15 mm의 경골조면 외측 편위가 있는 상태

③ X선 측면상에서 Insall–Salvati ratio (ISR) 및 Caton–Deschamps index (CDI)를 계측하고, ISR >1.2 또는 CDI ≧1.2의 슬개골 고위가 있는 상태

반대측 무릎에서 탈구력이 없더라도, 일상생활 및 도수검사에서 불안정감을 호소하고, 상기 조건을 충족하는 경우에는 반대측도 경골조면 전내측 원위 전이술을 고려한다.

● 마취

성인의 편측 수술에서는 전신마취 혹은 척추 마취 모두 수술이 가능하다. 양측 수술이거나 사춘기 연령대에서는 전신마취를 선택한다.

● 체위

앙와위에서 행한다. 일반적인 경골조면 전이술에서는 수술 중 투시장치가 필요하지 않지만, 내측슬개대퇴인대(medial patellofemoral ligament; MPFL) 재건술을 추가로 시행해야 하는 경우에는 수술 중 투시장치를 이용할 수 있는 수술대를 사용한다. 또한, 양호한 관절경 시야 확보를 위해 수술 중에는 지혈대를 사용한다.

Fast Check

❶ 경골조면 전이술을 수술 방법으로 고려해야 할 경우에는 경골조면 외측편위 외에 슬개골 고위의 유무 역시 X선 영상을 통해서 상세하게 평가해야 한다.

❷ 수술 중에는 경골조면 골유합을 감안한 수술 조작을 해야하고, 골막에 대한 보존적인 조작, 동일 평면에서의 절골, 적절한 스크류 길이 선택, 충분한 양의 해면골 이식 등을 유의한다.

❸ 수술 후 재활요법에서는 경골조면에 과도한 부하가 걸리지 않도록 운동 개시 시기나 강도 등을 단계별로 고려한 재활 프로그램으로 해야 한다.

수술 술기

1 마취하 이학적 검사

마취 후 lateral glide test (슬개골의 폭 ¾ 이상의 외측 편위가 생기는 경우는 내측 안정화 구조물의 기능부전으로 판단), medial glide test (내측편위가 슬개골의 폭 ¼ 이하인 경우는 외측 안정화 구조물의 과긴장 상태로 판단, ¾ 이상인 경우는 hypermobile patella), passive patellar tilt test (슬개골의 외측 가장자리가 수평이 되도록 들어올려지지 않을 경우에는 외측 안정화 구조물의 과긴장으로 판단)를 실시하고, 내·외측 안정화 구조물의 이완성을 평가한다.[4]

2 진단적 관절경

경골조면 전이술에 앞서 통상적인 관절경검사를 실시한다. 전외측 삽입구에서의 관절경하에 슬개대퇴관절의 적합성, 연골손상 여부를 확인한다. 필요에 따라 관절 내 유리체의 적출술이나 외측지대유리술(lateral retinacular release)을 실시한다. 외측지대유리술은 전술한 마취하 이학적 검사에서 외측 안정화 구조물의 과긴장이 나타났을 경우에 추가로 시행한다. 방법으로는 후술할 수술적 접근법 후에 슬개건 및 슬개골의 외측연을 따라서 연부조직을 박리하고, 외측지대, 외측슬개경골인대, 외측슬개대퇴인대, 관절막을 한 층(one layer)으로 절개한다.

3 피부 절개 및 수술적 접근법

경골조면의 근위단에서 원위로 약 5 cm의 세로로 피부 절개를 한다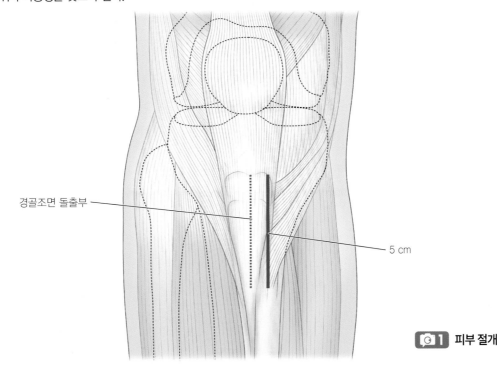. 수술 후 무릎 꿇는 동작(kneeling)으로 인한 동통을 예방한다는 관점에서 피부 절개 부위는 경골조면의 돌출부를 피해서 돌출부의 내측에 둔다. 피하지방층을 동일한 방법으로 절개하여 경골 골막 및 하퇴근막 사이를 blunt하게 박리하고 수술 조작을 용이하게 하기 위해 수술 부위의 충분한 가동성을 확보한다. 이때, 근위로는 슬개건의 중앙부까지, 원위로는 경골조면보다 원위로 약 6 cm까지 직접 육안으로 확인할 수 있는 정도로 수술 부위가 가동성을 갖도록 한다.

경골조면 돌출부

5 cm

📷1 피부 절개

슬개건의 내·외측연을 확인하고 이를 원위 방향으로 연장될 수 있도록 경골 골막을 절개한다. 발생할 수 있는 수술 중 골절을 대비하여 내측으로는 골막을 박리(periosteal elevation)하고, 외측으로는 전경골근을 골막하 박리한다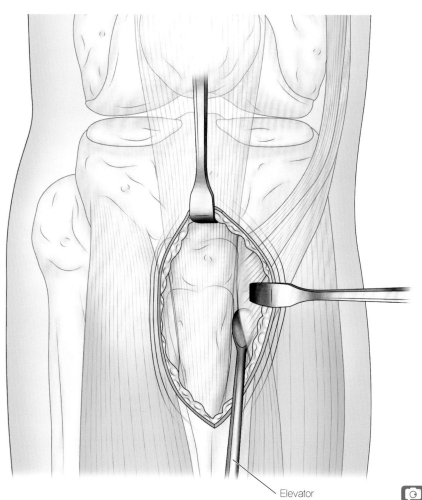. 경골조면 이동 시 슬개건에 부자연스러운 장력이 가해지지 않도록 슬개건 등측(dorsal side)에 위치한 슬개하 지방체는 박리해둔다. MPFL 재건술의 추가가 필요한 경우에도 동일한 피부 절개에서 이식건을 쉽게 채취할 수 있다.

코멘트 **NEXUS view**

골막은 수술 후 봉합할 수 있도록 메스나 elevator를 이용하여 조심스럽게 박리한다.

Elevator

그2 **골막의 박리**

4 절골술

먼저 경골조면 근위단에서부터 4 cm 원위의 경골능(tibial crest)에 원위 절골선을 표시한다(마킹①). 수술 전 계획한 원위로의 전이량에 맞춰서 마킹①에서 더 원위로(보통 약 1 cm) 마킹을 추가한다(마킹 ②). 이때 경골조면의 내측 전이를 감안하여 마킹②는 경골 장축에 수직으로 하고, 마킹①은 근위내측 에서 원위 외측 방향으로 15~20° 정도 경사지게 한다. 마이크로 bone saw를 이용하여 마킹①, ②에 서 경골능을 절골한다 @3.

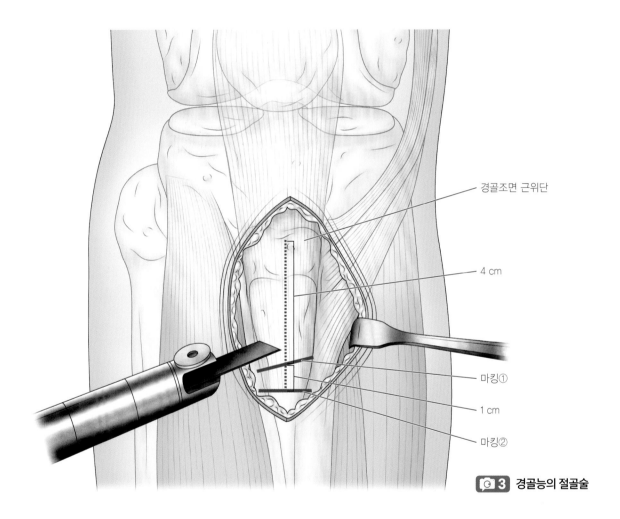

경골조면 근위단

4 cm

마킹①

1 cm

마킹②

@3 경골능의 절골술

이어서 내측 피질골의 예상 절골선보다 약간 후방(Osteotome 두께를 고려해서)으로, 가이드로 삼을 K-wire 2개를 전내측에서 후외측을 향하도록 관상면에 대해 약 30° 각도로 삽입한다. 이때, 원위로 갈수록 골피질이 얇아지므로 2개의 K-wire의 전후 위치를 조절한다. 이 상태에서 가이드를 타고 적절한 폭(10~25 mm)의 osteotome을 이용하여 전내측에서 후외측을 향해 절골술을 시행한다. 원위에서는 미리 micro bone saw로 절골을 해놓은 경골능을 경골조면과 동일한 평면으로 절골하고, 이식골을 채취한다 📷 5a . 또한 근위를 절골해서 경골조면을 경골에서 완전히 유리시킨다 📷 5b .

코멘트 **NEXUS view** /////

경골능은 경골 골간부에서 가장 골피질이 두꺼운 부분이므로, 절골 후에 골강도의 저하가 우려된다. 따라서, micro bone saw를 이용한 절골 시에 필요 이상으로 후방으로 나아가지 않도록 충분히 주의한다.

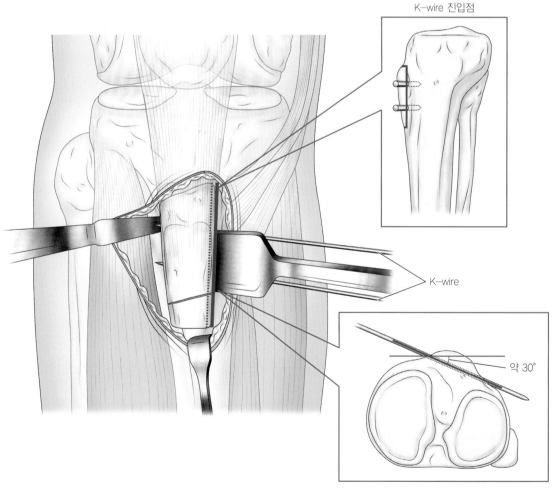

K-wire 진입점

K-wire

약 30°

a

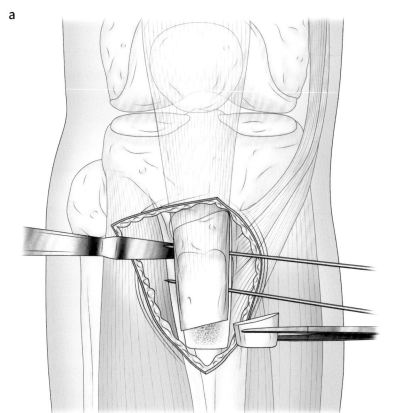

b

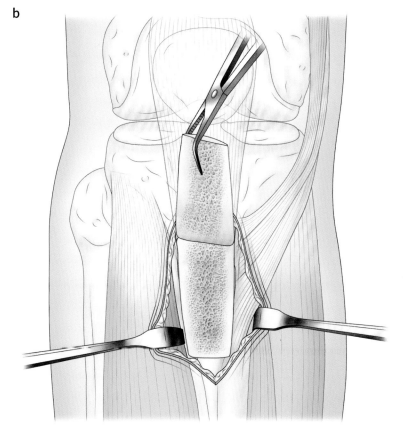

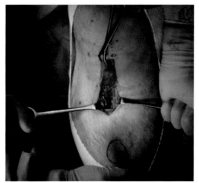

📷 5 경골능에서 골편을 채취하고(a)
경골조면을 완전히 분리시킨다(b).

5 전내측-원위 전위

경골조면을 절골면을 따라 내측으로 회전과 함께 sliding시켜 전내측-원위로 이동시킨다. 원위 방향으로는 경골능의 절골량에 해당하는 내측으로 약 10 mm를 기준으로 이동한다. 이때 경골조면 원위단과 경골능의 횡단된 절골면이 밀착되도록 접촉면을 미세 조정한다. 경골조면을 K-wire로 임시 고정한 상태로 두고, 이학적 검사에서 슬개골탈구가 생기지 않는지 또는 관절경하에서도 슬개대퇴관절의 적합성을 정확하게 평가한다. 이 시점에서 슬개골 트래킹의 개선을 충분히 얻을 수 없는 경우에는 MPFL 재건술의 추가를 고려한다. 임시 고정을 한 경골조면은 피질골 스크류 2개로 고정한다 ⑦.

> **주의!** **NEXUS view** /////
>
> 경골조면의 충분한 초기 고정성을 얻기 위해 스크류의 screw thread가 후방 피질골에 충분히 걸리도록 적절한 길이를 선택한다. 최종 고정 시 스크류를 너무 조이면 경골조면 갈라짐(crack)이 생길 수 있다. 스크류 헤드의 돌출을 피하기 위해서 골표면에 스크류를 무리하게 삽입하는 것은 위험할 수 있다.

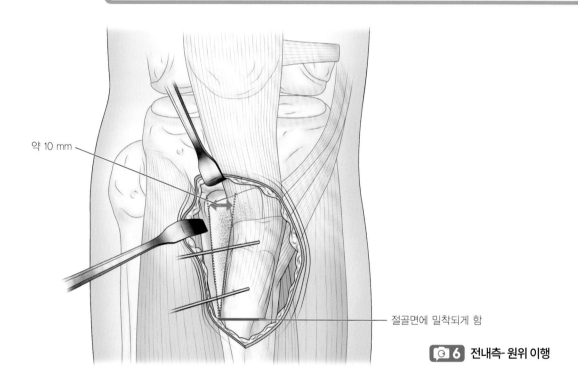

약 10 mm

절골면에 밀착되게 함

⑥ **전내측-원위 이행**

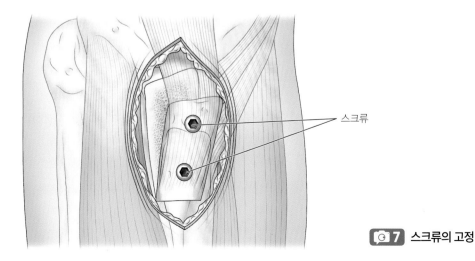

스크류

⑦ **스크류의 고정**

6 골이식 및 창상봉합

경골조면의 원위 이동으로 생긴 근위에 발생한 간극에는 경골능에서 채취한 골편을 이식한다 **⑥ 8a**. 또한 내측 전이로 생긴 경골조면과 내측 골피질의 간극에는 외측 절골부위에서 채취한 해면골을 골이식한다 **⑥ 8b**. 골이식에 앞서 내측 골피질의 표면에는 osteotome을 이용하여 decortication 처치를 가하여 골유합 촉진을 도모한다. 골절부의 골막은 가능한 봉합하도록 한다. 피하에 지속흡인 배액관을 유치하고 창상을 봉합한다.

코멘트 | NEXUS view /////

본 술식에서는 기존의 Fulkerson법과 달리 경골조면을 일단 완전히 유리시키기 때문에 절골부위 골유합에는 불리한 조건이 된다. 그러므로, 골이식이나 골막 봉합은 수술 후 골유합을 좌우하는 매우 중요한 술기이므로 생략하는 일 없이 세심하게 실시하도록 한다.

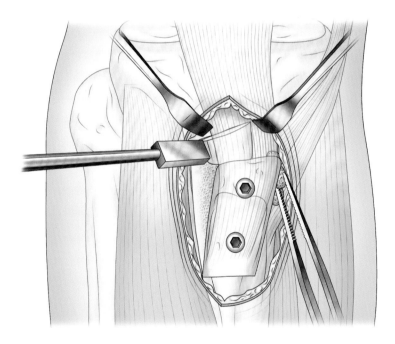

a

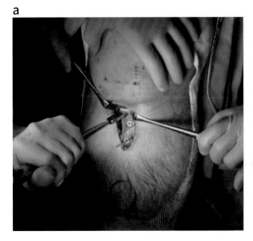

b

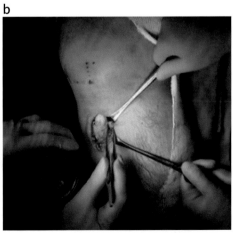

⑥ 8 근위에는 경골능에서 채취한 골편을 이식하고(a), 내측에는 해면골을 이식한다(b).

7 수술 후 재활

경골조면 전내측—원위 이행술에서는 수술 중에 경골조면을 완전히 유리시켜서 절골하기 때문에 수술 후 재활은 Fulkerson법보다는 속도를 늦춘 재활 프로그램으로 시행하며 신중하게 단계를 올린다.

① 수술 후에는 knee brace로 무릎 신전 상태로 고정하고, 환부를 쿨링(cooling)한다.

② 술 후 다음날부터 침대 위에서의 patellar 세팅(대퇴사두근 수축), calf pumping, CPM (지속적 수동 관절운동)에 의한 관절가동범위 훈련을 시작한다. 굴곡 각도에는 특별히 제한을 두지 않지만 환자가 받아들일 수 있는 통증 범위 내에서 각도를 서서히 늘려 간다.

③ 통증이 가벼워지는 대로 목발보행을 개시하는데, 수술 후 2주간은 knee brace 장착 하에 신전위 에서의 하중을 가한다. 3주차부터는 patellar brace 장착 하에 보행훈련을 하는데, 적절히 knee brace도 병용하여 하중 시에 무력감(giving way)이 발생하지 않도록 주의한다.

④ 경골조면에 과도한 부하가 걸리는 하지 능동 신전거상훈련(SLR)이나 대퇴사두근의 등장성 근력훈 련은 수술 후 4주 이후부터 시작한다.

8 스포츠 선수에게 발생한 슬개골불안정성

스포츠 선수에서 발생한 반복성 슬개골탈구에 대한 수술요법의 선택은 원칙적으로 일반 환자에서의 과정과 마찬가지로 크게 다른 점은 없다. 해부학적 요인을 상세하게 평가하고, 경골조면 외측 편위 및 슬개골 고위가 존재한다면 경골조면 전내측—원위 전이술을 치료방법으로 우선 검토한다. 한편 스포츠 에 의한 슬개골 탈구 중에는 큰 외력에 의해 생긴 경우가 있으므로 탈구에 따른 손상부위의 조직손상, 특히 연부조직의 손상 범위 평가는 주의깊게 실시할 필요가 있다.

증례 제시

20세 남성, 기계체조 선수 대학 3년생. 뜀틀 연습 중에 도약 동작에서 회전이 부족해 착지 시에 왼쪽 무 릎이 비틀어지면서 부상당했다. 초진 시 슬개골 탈구를 진단받고 도수로 정복한 뒤, 1주일 후에 본원에서 진찰을 받았다. X선 정면상 📷9, CT 횡단상 📷10에서는 왼쪽 슬개골은 외측으로 크게 편위, 경사져 있었다. 또한 정상측 오른쪽 무릎 슬개골에도 외측 편위 및 경사가 나타났으며, 왼쪽 무릎에도 수상 전부터 슬개대퇴 관절의 부적합이 존재하는 것으로 사료되었다. MRI 횡단상에서는 MPFL을 포함하여 내측 지대 는 슬개골 부착부에서 연속성이 끊겼고, 또한 내측 광근의 근실질에도 손상으로 추측되는 휘도(signal) 변화가 확인된다 📷11. 이와 같은 소견은 수술 중에도 관절경 및 육안으로도 관찰된다 📷12.

본 증례는 TT—TG=22 mm로 경골조면 외측 편위를 가지고 있었으므로 경골조면 전내측 이행술을 시행하고 MPFL 포함하여 내측 슬개지대, 내측광근의 1차 복구술(primary repair)을 추가하였다.

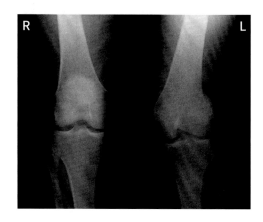

📷9 정면상

좌측 슬개골은 외측에 편위되어 있다.

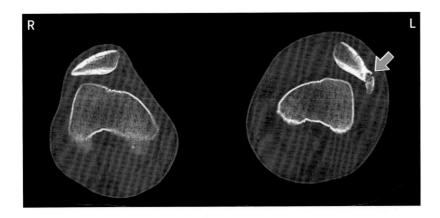

📷 10 CT 횡단상

양쪽 슬개골 모두 외측 편위, 경사가 나
타난다. 왼쪽 무릎에는 통증이 있는
bipartite patella의 기왕력이 있고 분열상
(➡)이 관찰된다.

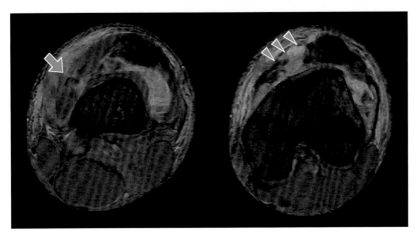

📷 11 MRI 횡단상

MPFL의 파열(▶)과 더불어
내측광근의 파열(➡)도 관찰되었다.

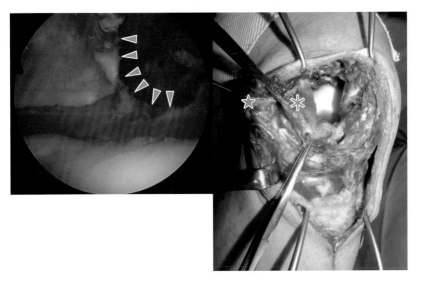

📷 12 수술 소견

관절경하에 광범위하게 파열된 내측 슬개
지대와 내측광근(▶)이, 육안으로도 파
열된 MPFL(✳)과 내측광근(★)이 관찰되
었다.

참고문헌

1) Dejour H, Walch G, Nove-Josserand L, et al. Factors of patellar instability:an anatomic radiographic study. Knee Surg Sports Traumatol Arthrosc. 1994;2:19-26.

2) Fulkerson JP. Anteromedialization of the tibial tuberosity for patellofemoral malalignment. Clin Orthop Relat Res. 1983;177:176-81.

3) Tsuda E, Ishibashi Y, Yamamoto Y, et al. Incidence and radiologic predictor of postoperative patellar instability after Fulkerson procedure of the tibial tuberosity for recurrent patellar dislocation. Knee Surg Sports Traumatol Arthrosc. 2012;20:2062-70.

4) Kolowich PA, Paulos LE, Rosenberg TD, et al. Lateral release of the patella : indications and contraindications. Am J Sports Med. 1990;18:359-65.

연골

V. 연골

관절면 재건술 및 자가골연골이식술

국립병원기구 교토 의료센터 정형외과 **나카가와 야스아키(Yasuaki Nakagawa)**
국립병원기구 교토 의료센터 정형외과 **무카이 쇼고(Shogo Mukai)**

Introduction

수술 전 고려 사항

● 적응증과 금기증

슬관절의 골연골 질환이나 초기 퇴행성 관절염(osteoarthritis; OA) 등이 적응이 되지만, 병소의 범위가 2개 이상의 구획(compartment)에 이르는 경우에는 donor site가 부족하기 때문에 적응되지 않는다. 또, FTA가 180° 이상인 예에서는 절골술 등에 의한 교정술을 병용하고 있다. 병소의 크기가 4 cm² 이상이라도 자가이식편 (autogenous osteochondral plug)의 사이를 밀착시키지 않고 최대 3 mm까지의 간격을 두거나 넓은 직경의 이식편(저자들은 남성에서 10 mm, 여성에서 8 mm까지 사용하고 있으며, 현재까지 donor site morbidity를 일으킨 예는 없다)을 사용함으로써 대응할 수 있는 경우가 많다.[1] 무혈성 괴사나 박리성 골연골염 등에서는 간혹 병변이 광범위한 경우가 있지만, 잔존하고 있는 정상 연골을 사용할 수 있는 biological fixation 이나, eyeglass technique 등으로 정상 연골은 남겨둔 채, 손상된 연골 부위만을 2~3군데 도려내고, 도려낸 부위를 통해서 연골하골에 소파술을 시행한 후, 장골에서 채취한 자가골을 이식하고, 마지막으로 이식편으로 고정하는 방법이 있다.[2] 하지만 모든 연골결손 질환이 해당 수술에 적응증이 되는 것은 아니며, 근력운동이나 히알루론산의 관절내 주입 등의 보존요법을 3개월 실시하여 증상이 해결되지 않는 증례가 수술적응이 된다.

● 마취

성인의 경우 전신마취, 요추마취 중 어느 쪽이라도 수술이 가능하지만, 소아(본원에서의 경험으로는 최소 연령 12세)에서는 전신마취로 수술을 시행한다. 또한 진단적 관절경이나 수술 후 관절경(second-look arthroscopy)을 통한 확인이 필요한 경우에는 국소마취제(1% Xylocaine) 20 mL + 2% Epinephrine을 혼합한 약제를 사용해서 외래에서 시행한다.[3]

● 체위

앙와위에서 일반 관절경용 수술포를 사용하여 실시한다.

수술 진행

1. 진단적 관절경
2. 대퇴골측: Abrasion arthroplasty
3. 골연골이식술
4. 공여부 처치
5. 경골측: 가이드핀 삽입
6. 터널 제작
7. 터널 기울기 확인
8. 이식편 채취
9. 이식편 삽입
10. 수술 후 재활

Fast Check

❶ 자가이식편 1-2개까지라면 관절경하에서 이식술을 할 수도 있지만, 그 이상이라면 양호한 관절면을 형성하기 위해 관절막을 절개해서 수술을 해야 하며, 저자의 경험으로는 관절을 절개해서 회복이 늦은 예는 없었다.

❷ 이식편이나 정상 연골과의 경계면을 섬유성 연골로 채우기 위해 손상 연골을 제거하는 abrasion arthroplasty는 반드시 실시해야 한다.

❸ 경골측 이식술에서는 터널의 기울기를 확인하고, 기울기에 맞춰서 이식편을 공여부에서 채취하는 것이 적합한 관절면을 얻는 요령이다.

수술 술기

1 진단적 관절경 📷1

먼저 전외측 삽입구를 만들고 관절 내를 확인한다. 슬개−대퇴관절부터 관찰하고, 활차 부위에서는 과간천장(intercondylar roof)까지 꼼꼼히 확인하지 않으면 연골손상을 간과할 수 있다. 경골측은 한 번에 전체를 관찰할 수 있지만, 대퇴골 쪽은 슬관절을 굴곡−신전하면서 관찰해야 전방에서 후방까지의 전체 관절면을 관찰할 수 있다. 30° 관절경을 이용하여 관절 내부를 관찰하고 반월판 손상 및 다른 인대손상 등의 합병손상 유무를 확인하여 필요에 따라 조치를 취한다. 전외측 및 전내측 삽입구 모두 나중에 피부 절개선이 연장될 수 있다는 점을 감안하여 세로로 피부 절개를 한다. 📷2는 대퇴골 내과의 8×25 mm, 6×6 mm의 연골손상 사례이다.

> **코멘트 NEXUS view**
>
> 연골손상을 간과하지 않는 요령으로는 활차 부위에서는 과간천장(intercondylar roof)까지 확인하는 것, 대퇴골을 굴곡−신전하면서 전방부터 후방까지 확인하는 것이다.

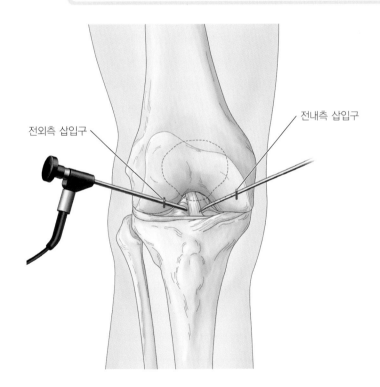

전외측 삽입구

전내측 삽입구

📷1 피부 절개

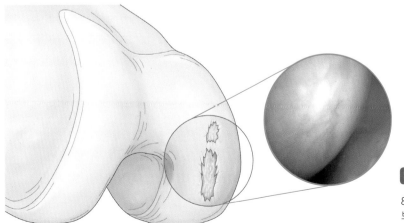

📷2 대퇴골내과의 연골손상 증례

8×25 mm, 6×6 mm의 연골손상이 보인다.

2 대퇴골측: Abrasion arthroplasty

병소부위가 대퇴골 외과라면 전외측 삽입구를 5 cm 연장해서 피부 절개를 한다. 외측지대 해리 (lateral release)를 하는 요령으로 시행하여 관절 내에 진입한다. 병소부위가 활차 또는 대퇴골 내과라면 전내측 삽입구를 궁형으로 7 cm 연장하고 관절막에서는 medial parapatellar approach로 관절 내로 진입한다 **3a**. 과간부에 Hohmann retractor를 걸고, 피하조직은 Gelpi retractor로 젖히면 전개가 편하다. **3b** 가 위와 같은 방법으로 전개된 대퇴골 내과의 병소부위이다. 정상 연골과의 경계를 메스로 잘라내고, osteotome이나 큐렛으로 연골하골을 노출시킨다 **3c**. 이것이 abrasion arthroplasty로서, 이식편 사이나 정상 연골과의 경계에 섬유성 연골의 발생을 유도시켜 주변 연골과 조화로운 관절면을 획득할 수 있다.

> **코멘트** **NEXUS view** ///
>
> 정상 연골과의 경계를 메스, osteotome, 큐렛을 이용하여 병소부위의 연골 하골을 노출시킴으로써 이식편 사이에 섬유성 연골의 생성을 유도하여 적합한 관절면을 획득할 수 있다.

a

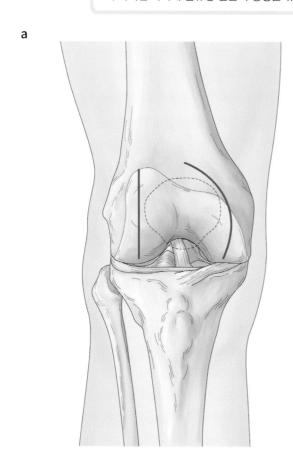

b

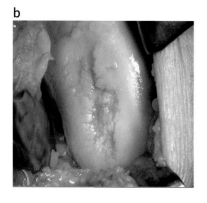

c

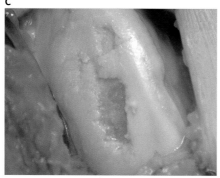

3 Abrasion arthroplasty

a: 피부 절개 연장
b: 대퇴골 내과의 병소부위
c: 연골 하골이 노출되었다.

3 골연골이식술

　Abrasion arthroplasty를 마친 뒤, 병소의 크기에 맞춰서 이식편의 크기를 결정한다. 저자들은 연골 면적이 넓은 이식편을 사용하는 것이 수술 후 성적이 좋다고 생각하기 때문에, OATS®[Osteochondral Autograft Transfer System (Arthrex)]만을 사용하고 있다. Dilator와 sizer를 사용하여 이식편의 크기를 결정한다. **4a** 는 병소가 2개였고, 전방 부위는 5 mm로 굴착해서 파내고 6 mm 이식편을 1개 이식, 후방 부위는 7 mm로 굴착해서 파내고, 8 mm 이식편을 2개 이식했다. 활차 부위가 상황에 관계 없이 신전위에서, 대퇴골 내, 외과 부위는 병소부위라면 굴곡위, 공여부위로 사용하는 경우에는 신전위에서 처치한다. 조화로운 관절면 획득을 목표로 하지만 이식편은 돌출되는 것보다 약간 함몰되는 것이 좋다고 생각한다. 1 mm 이상 돌출될 것 같으면 차라리 일부 절제하는 것이 좋다. **4b** 는 대퇴골 외과 병변부위의 예이며 Hohmann, Gelpi 등을 사용해도 병변의 일부만 보이기 때문에 무릎을 굴곡-신전시켜가면서 이식하려는 부분을 시야의 중심으로 가져와서 이식편을 굴착, 이식을 하면 된다.

> **코멘트** **NEXUS view**
>
> 　튜브 하베스터(Arthrex)의 슬릿으로 이식편의 연골면이 보이므로 관절면의 기울기를 감안해서 곡률에 맞게 이식편을 삽입한다.

a
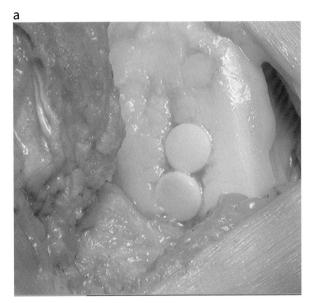

b
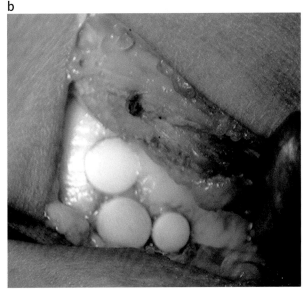

4 골연골이식술

a: 병소부위가 2개인 예
b: 대퇴골 외과의 병소

4 공여부 처치

공여부에서 채취한 이식편이 1개뿐이라면 아무것도 채우지 않아도 되지만, 2개 이상이면 병소부의 정상 골조직을(이전에는 괴사골까지 동원하여 공여부위를 채운 적도 있다. 아무런 문제는 없었지만, 현재는 정상골로 충분할 때는 괴사골까지 사용해서 공여부위를 채우지는 않는다) 처리해서 공여부 연골하골의 약간 근위 레벨까지 채운다 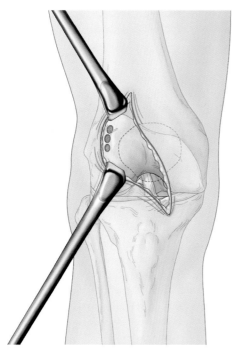5. 충전해야 할 골조직이 부족할 때에는 Hydroxyapatite 성분인 Apaceram (PENTAX/HOYA Technosurgical)의 6 mm 직경, 10 mm 길이의 인공 골조직으로 충전하고, 그 위에 일부 자가골을 올려놓는다. 공여부에 충전하는 이식편은 관절면에서 가볍게 누르기만 하면 되고 관절 내로 유출된 적은 없었다. 또한 출혈이 발생할 수 있으므로 수술 후 2일간은 배액관을 1개 삽입하였다. 6은 이 증례의 1년 후의 수술 후 관절경 소견으로 이식편이 2개 삽입된 병변을 확인할 수 있고 조화로운 관절면을 획득할 수 있었다.

> **코멘트 NEXUS view**
>
> 이식편이 1개뿐이라면 아무것도 채우지 않아도 되지만, 2개 이상이면 병소부위의 정상 골조직을 처리해서 공여부 연골하골의 약간 근위 수준까지 채운다.

5 공여부위 정상 골조직 충전

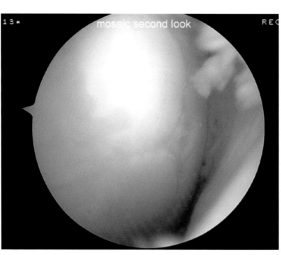

6 술 후 1년 관절경 사진

5 경골측: 가이드핀 삽입

　경골측은 대퇴골에 가려져서 관절막을 절개하더라도 육안으로 확인하기 어렵다. 따라서 관절
경수술로 시행한다. 📷7 은 경골외과가 병변부위이다. 대퇴측과 마찬가지로 큐렛으로 abrasion
arthroplasty를 행한 후, 병소부위 근처에 세 번째 삽입구를 만든다. 세 번째 삽입구를 통해서
targeting device가 장착된 ACL 가이드를 삽입한다. 이식편의 크기는 프로브나 targeting guide에서
정한다. 또한 관절면보다 5 cm 원위 경골의 피질골에 병소부위에 맞추어 1×2 cm 정도 세로로 절개한
다. 관절경으로 병소부위에 targeting device를 맞추고 📷8 , 원위 절개부에서 K-wire를 삽입한다.
가이드의 각도는 90°에 가까워야 후에 조작이 편하다. 저자들의 경험에서는 75~85° 정도이다.

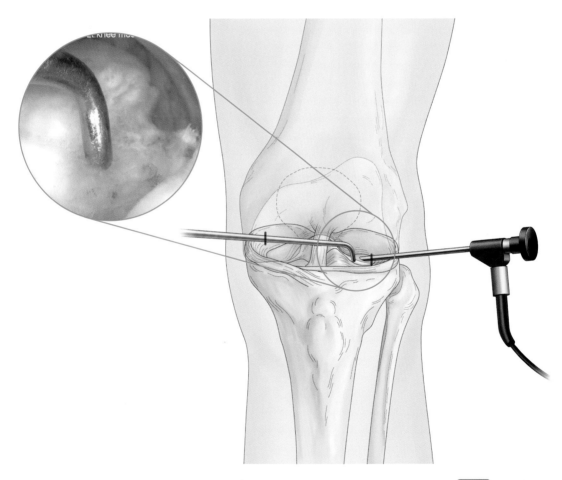

📷7 경골외과의 병변부위

코멘트 **NEXUS view**

　　가이드 삽입 시 경골의 피질골에 창(window)을 열고 해면골을 노출시켜놓지 않으면, 다음 조작에서 사용하는 코어링 리머(Arthrex)가 파손될 수 있다. 창을 낸 피질골은 수술 후에 다시 고정하여 복원한다.

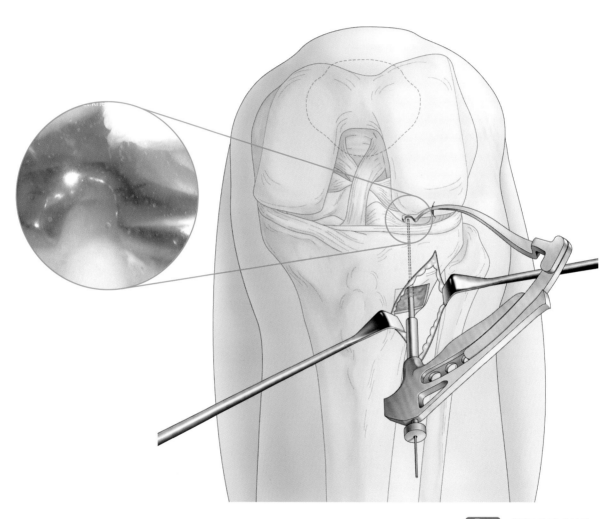

📷8 **가이드와이어 삽입**

6 터널 제작

홀인원 가이드 K-wire가 병변부위 적합한 위치에 삽입되면 일단 그것을 빼고 코어링 리머를 삽입한다 📷 9a . 코어링 리머의 지름은 7, 8, 9 mm 세 가지가 있으며, 굴착한 코어링 리머의 직경보다 1 mm 큰 플러그를 채취하면 press-fit으로 고정할 수 있다. 코어링 리머가 삽입되면 터널의 관절 내 개구부를 큐렛으로 보호하면서 📷 9b 터널을 제작한다.

> **코멘트** **NEXUS view** ///
>
> 2개 이상 굴착하여 플러그를 이식할 때는 후방에서부터 굴착해야 한다. 저자들의 경험에서는 3개까지는 성적이 양호했고, 4개 이상인 증례부터는 기술적으로 어려워 성적이 불량하였다.

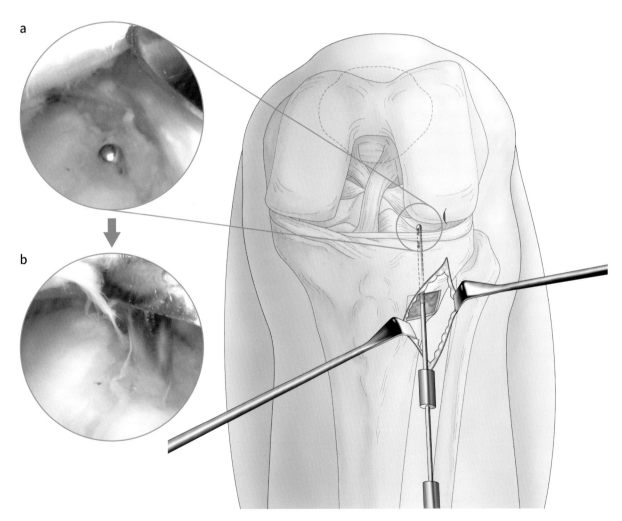

📷 **9 터널 제작**

a: 코어링 리머 삽입
b: 코어링 리머 끝을 보호하면서
    터널을 제작

7 터널 기울기 확인

이 증례에서는 7 mm 직경의 코어링 리머로 굴착하였으므로 7 mm 직경의 dilator를 삽입하였다 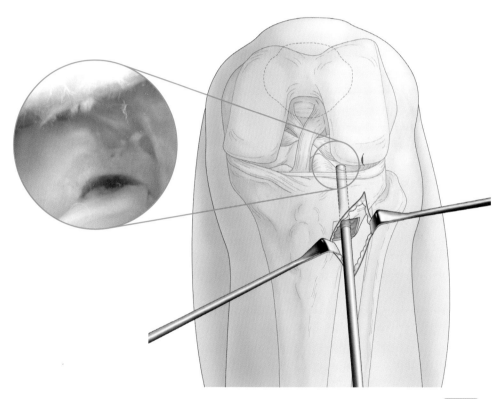10. 이때, 관절경으로 dilator와 주변 관절면과의 기울기를 보고 이식편 삽입 방향을 결정한다. 또는 dilator를 삽입한 채 측면의 X선상을 촬영하여 11, 경골 관절면과 dilator의 기울기를 각도계로 측정하여 이식편 채취 시의 경사를 미리 결정한다. 이 증례에서는 80°였다.

> **코멘트 NEXUS view** ///
>
> 터널을 하나 제작할 때마다 X선 촬영을 하여 dilator와 경골 관절면의 경사를 확인하는 것이 좋다. 또, 복수의 플러그를 이식할 때는 후방에서부터 1개씩 이식편을 삽입하고 나서 다음(전방으로) 터널을 뚫어야 한다.

10 Dilator의 삽입

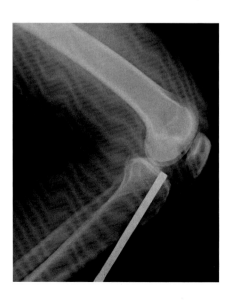

11 방사선 확인

8 이식편 채취

대퇴골측에 이식할 때는 항상 90°이므로 공여부에 수직으로 향한 튜브 하베스터로 굴착해서 이식편 채취를 하면 되지만, 경골 측은 앞서 언급한 바와 같이 경골 관절면에 대하여 어느 정도 기울기를 감안 하는 것이 필요하다. 이 증례에는 80°라는 계측치를 얻었으므로 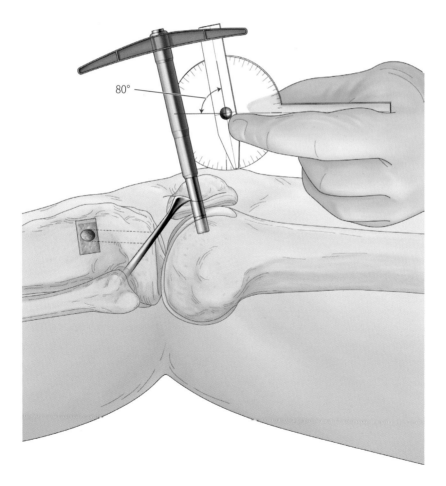와 같이 튜브 하베스터를 근위 방향으로 80°의 기울기를 가지고 굴착한다. 조수에게 각도기를 들고 있게 하고, 술자가 보면서 각도를 맞추면 쉽다. 이것을 원위 방향으로 기울이면 다음 플러그를 채취할 수 없다. Retrograde로 이식하므로 채취 플러그의 길이는 15 mm 이상이어야 용이하다. 저자의 증례 중에서 이식편이 도중에 파손되어 10 mm 직경, 10 mm 길이로 수술을 진행하였다가, 경골에 retrograde로 이식 중에 이식편이 도중에 기울어져서 터널 내에서 걸리는 바람에 꺼내는 데 고생한 적이 있다. 이식편 채취 후 공여부 처치는 대 퇴골 측과 동일하다.

> **코멘트 NEXUS view** ////
>
> Donor 채취 시 튜브 하베스터는 근위 방향으로 기울여서 조수가 각도계를 잡도록 하면, 채취가 손쉽 다. 이식편의 길이는 최소 15 mm는 필요하다.

80°

12 이식편 채취

9 이식편 삽입

채취된 이식편을 튜브 하베스터에서 꺼낸다. 터널에 다시 dilator를 삽입해서 기울기를 확인한 후 이식편을 연골면을 위로 해서 터널에 밀어 넣는다. 은 플러그를 터널에 넣은 사진이다. 앞에서 언급한 바와 같이 코어링 리머보다 1 mm 큰 플러그를 이식하지만 터널에 밀어넣는 것은 어렵지 않다. 밀어넣은 뒤부터는 dilator를 사용한다. 관절경으로 관절 내 개구부를 관찰하면 이식편이 관절 내로 들어오는 게 보인다. 관절경으로 보면서 관절 내 이식편의 높이를 조절한다. 약간 튀어나왔을 때는 mucosal elevator 등으로 위에서 누르면 조금씩 가라앉힐 수 있다. 이것을 반복하면서 적당한 높이를 조절한다. 14는 이식 종료 시 관절경으로 촬영한 사진으로, 조화로운 관절면을 획득할 수 있었다.

> **코멘트 NEXUS view**
>
> 처음에 이식편을 터널에 밀어넣고, 그 후 dilator로 박아 넣는다. 돌출되면 mucosal elevator로 누르면 가라앉힐 수 있으며, dilator로 박아 넣는 것을 반복하면서 이식편의 높이를 조절한다.

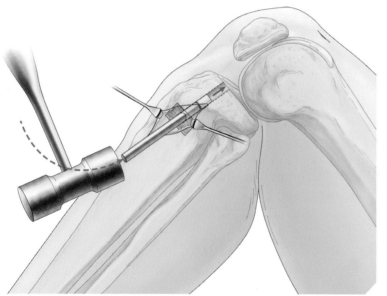

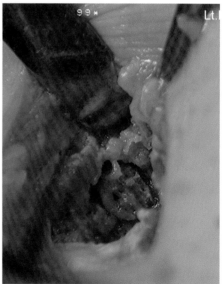

13 이식편 삽입

10 수술 후 재활

슬개-대퇴관절이 병소부위라면 2주간, 대퇴골 내, 외과부는 3주간, 경골은 3주(병소부가 클 때는 4주)에 체중부하를 시작하고 그 후 1주 단위로 1/3씩 하중을 늘려 나간다. 관절가동범위 훈련은 배액관을 뽑고 바로 실시한다.

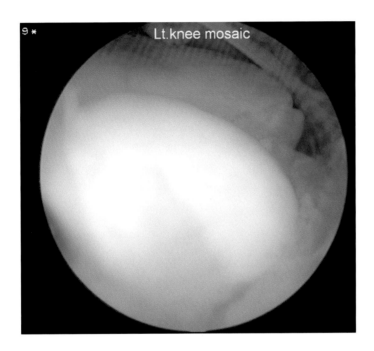

📷 14 술 후 관절경 사진

참고문헌

1) 中川泰彰, 小林雅彦, 中村伸一郎, ほか. 自家骨軟骨移植術の有用性とその限界. 日整会誌. 2010;84:533-6.
2) Matsusue Y, Kubo M, Nakagawa Y. Autogenous bone-cartilage transplantation. Techniques in Knee Surgery. 2010;9:85-94.
3) 中川泰彰, 松末吉隆, 中村孝志. 局所麻酔による外来膝関節鏡手術の適応と限界. 関節鏡. 1999;24:21-4.
4) 中川泰彰. 関節軟骨損傷に対する骨軟骨柱移植術(mosaicplasty). 整形外科手術テクニック Ⅲ 膝関節編. 飯田寛和監, 王寺享弘編. 東京:メディカ出版;2010. p85-93.
5) Nakagawa Y, Suzuki T, Kuroki H, et al. The effect of surface incongruity of grafted plugs in osteochondral grafting:a report of five cases. Knee Surg Sports Traumatol Arthrosc. 2007;15:591-6.

V. 연골

자가연골세포이식술(ACI)

히로시마대학 대학원 의치약보건학연구원 정형외과학 **아다치 노부오(Nobuo Adachi)**

Introduction

수술 전 고려 사항

● 적응증과 금기증

관절연골에는 혈관이나 신경조직이 없기 때문에, 연골조직이 손상되면 일반적인 조직의 치유기전이 작동되지 않아서 자연적으로 치유되기 매우 어려운 조직이다. 연골손상은 퇴행성 관절염(OA), 류마티스 관절염(RA), 외상성 연골손상, 박리성 골연골염 등 다양한 질환에서 발생할 수 있다.

그중에서 외상성 연골손상의 초기 혹은 박리성 골연골염은 대부분 연골손상의 형태가 국소적인 경우가 많아서 연골 복원술의 좋은 적응증이 된다. 이렇게 국소적인 양상의 관절연골손상에 대해서는 주로 미세골절술(microfracture), 천공술(drilling) 등의 골수자극법이나, OATS나 자가 연골 세포 이식술(ACI) 등의 재생치료가 실시되고 있다. ACI에 의한 연골치료는 이미 세계적으로 널리 행해지는 주요한 치료 방법이지만, 일본에서는 최근까지도 극히 제한된 병원에서만 실시되었을 뿐이었다. 2013년 4월부터 연골배양(상품명 'ジャック (Jack)', Japan Tissue Engineering) 및 이식술이 의료보험이 적용되어 일반적으로 시행할 수 있는 치료 방법이 되었다. 여기서는 저자들이 현재 시행하고 있는 ACI의 수술 술기를 살펴본다.

"Jack"의 적응증은 슬관절의 연골결손의 면적이 4 cm² 이상인 외상성 연골결손 또는 박리성 골연골염(퇴행성 슬관절염 제외)이다. 현재 일본에서 본 수술을 시행하고 있는 병원 목록이나 보험 기준 등의 자세한 내용은 홈페이지 www.jpte.co.jp를 참고하길 바란다.

배양 단계에서 소(牛)의 혈청을 이용하므로, 수술 전에 소고기 알레르기 검사를 실시해서 알레르기 유무를 확인해야 한다. 또한, 소의 진피에서 유래한 콜라겐 알레르기 유무를 확인하기 위해서 피내(intradermal) 테스트용 atelocollagen을 사용하여 테스트를 실시한다. 피내 테스트는 연골세포이식술 4주 전에는 실시해야 하고, 소고기 알레르기 검사 또는 atelocollagen 피내 테스트가 양성의 결과가 나오는 경우에는 본 제품의 사용은 금기이다.

● 마취 및 체위

요추마취 또는 전신마취하에 앙와위에서 수술을 한다. 저자들은 대퇴 중간부위의 외측 및 족저부에 각각 lateral bar를 사용해서 수술 부위 포지션을 고정하고 있다. 연골손상 부위에 쉽게 접근하기 위해서는 무릎의 굴곡 각도를 조정해가면서 시야를 얻도록 한다. 지혈대는 준비해두지만, 필요한 경우에만 사용하고 있다.

수술 진행

1. 진단적 관절경 및 연골편 채취
2. 손상된 연골부위 접근 및 변연절제술
3. 골막 채취
4. 배양된 연골세포 이식과 골막 봉합
5. 수술 후 재활

---

① 자가연골세포이식술의 적응증은 슬관절에서의 연골결손 면적이 4 cm² 이상인 외상성 연골결손 또는 박리성 골연골염(퇴행성 슬관절증은 제외)이다. 현재 일본에서는 시행할 수 있는 병원이나 보험기준 등이 제한적이므로 수술 전에 미리 참고한다.

② 연골세포를 배양하기 위한 연골편 채취는 대퇴골 내·외과의 비하중부위에서 한다.

③ 연골손상 부위에 따라 medial parapatellar 혹은 lateral parapatellar 접근법으로 관절 내부에 접근하여 골막으로 결손부위를 덮는 방식으로 배양된 연골세포를 이식한다.

수술 술기

1 진단적 관절경 및 연골편 채취

우선 관절경으로 연골손상 부위를 평가하고, 앞서 기술한 대로 자가연골세포 배양 및 이식술에 적응이 되는지 면밀하게 판단한다. 적응증이라고 판단되면 대퇴골 내·외과의 비하중부위 중에서 채취 후에도 기능장애 등이 발생하지 않을 것으로 예상되는 부위를 수술자가 확인하고, 연골편 약 0.4 g을 채취한다 **①**. 만약 연골이 관절 내 유리체 상태라면 이미 연골이 변성되었을 가능성이 높아서 채취 대상에서 제외하는 것이 바람직하다. 저자들은 채취에 있어서는 blade의 폭이 3~7 mm 정도의 이비인후과용 bone chisel을 애용하고 있다.

> **코멘트** **NEXUS view** ///
>
> 연골편 채취는 이비인후과용 bone chisel이 편리하다. 대퇴골 내·외과의 만곡 부위를 잘 확인해서 연골 가장자리에서 채취한다.

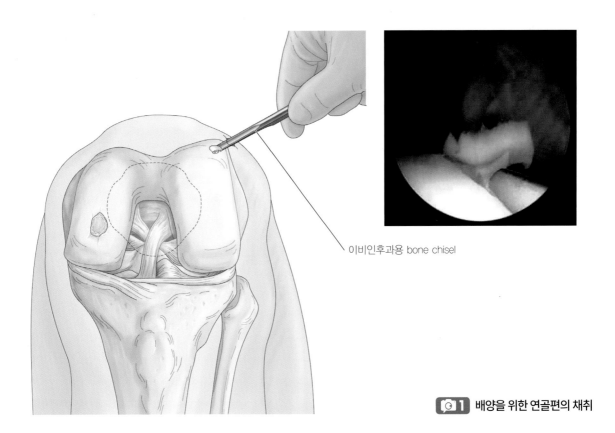

이비인후과용 bone chisel

① 배양을 위한 연골편의 채취

2 손상된 연골부위 접근 및 변연절제술

연골손상 부위에 따라 medial or lateral parapatellar 접근 방법을 선택해서, 통상적인 방법으로 관절 내부에 접근한다 📷 2 . 연골손상부를 충분히 관찰, 촉진하여 결손부를 포함해서 주변의 변성된 연골까지도 변연절제한다 📷 3 ."Jack" 전용 주형(template)을 이용해 이식 부위의 형상을 본뜬다.

코멘트 **NEXUS view** ////

연골손상 부위에 따라서 medial 또는 lateral parapatellar 접근법을 선택한다.

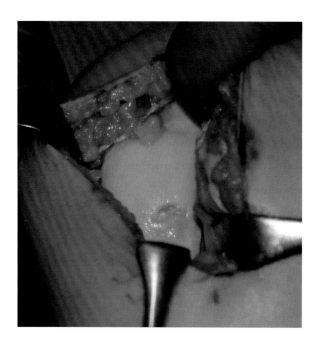

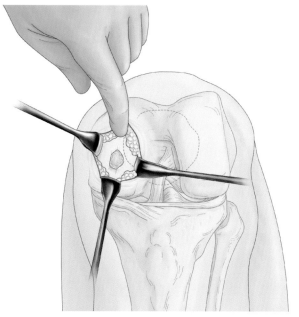

📷 2 연골손상 부위의 접근

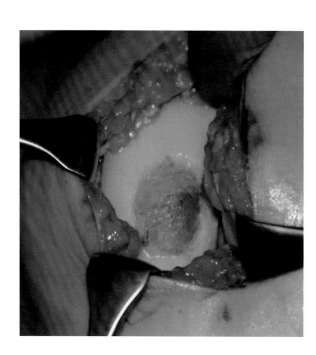

📷 3 연골손상 부위 및 주변 변성 연골의 변연절제 후 소견

3 골막 채취

보통 환측의 경골 내측 근위부에서 골막을 채취하는데, 만약 전방십자인대 재건술과 병용하는 경우
에는 경골에서 정상 골막을 채취하기 어렵기 때문에 반대편 건측에서 채취한다 🄒4 . 연골편 채취 시
연골손상 부위를 주형으로 모양을 뜬 것보다 한층 크게 골막을 채취하면, 추후에 골막 봉합이 용이하다.

코멘트 **NEXUS view** /////

중장년층에서는 골막이 얇은 경우가 있으므로, 채취 시에 손상되지 않도록 주의한다. 골막은 연골손
상 범위보다 조금 더 크게 채취해서 결손부 봉합을 용이하게 한다.

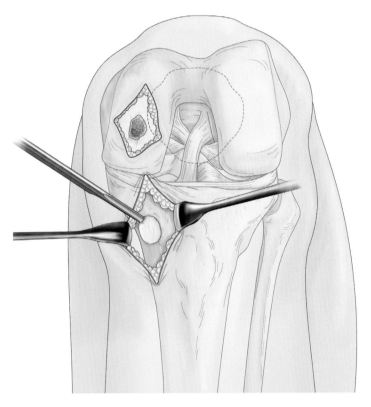

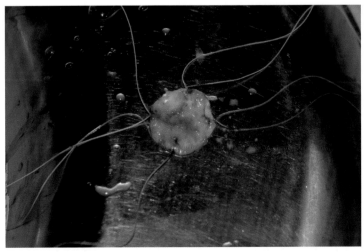

🄒4 골막 채취

4 배양된 연골세포 이식과 골막 봉합

골막의 골형성층(내측, cambium layer)이 연골하골이 노출된 관절면을 향하도록 하고, 대략 둘레의 절반을 5–0 Nylon으로 골에 봉합한다. 봉합사 간격은 약 3 mm로 한다. 전용 용기에 들어 있는 배양된 연골을 오염에 주의해서, 미리 제작해 둔 주형을 이용하여 연골 결손부의 형태와 크기에 맞게 제작한다 〔그5〕. 배양된 연골의 편평한 면이 bone bed 쪽이 되도록 결손부에 이식한다〔그6〕. 마지막으로 골막의 남은 절반을 주위 연골에 봉합한다〔그7〕. 봉합에 병용하여 pull–out법으로 몇 군데 골막을 고정시킨다. 최근에는 골막의 pull–out이 곤란한 경우에는 JuggerKnot™ (Biomet) 등의 앵커 시스템을 사용하는 경우도 있다. 골막의 봉합을 마친 후에는 슬관절을 굴곡–신전해보면서 골막이 박리되지는 않는지, 이식한 배양 연골세포의 누출이 나타나지는 않는지를 확인하고, 문제가 없으면 창상을 봉합한다.

코멘트 NEXUS view

중장년층에서는 골막이 얇은 경우가 있으므로, 채취 시에 손상되지 않도록 주의한다. 골막은 연골 손상 범위보다 조금 더 크게 채취해서 결손부 봉합을 용이하게 한다.

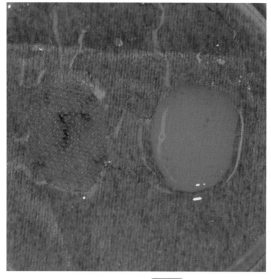

〔그5〕 배양연골의 형성

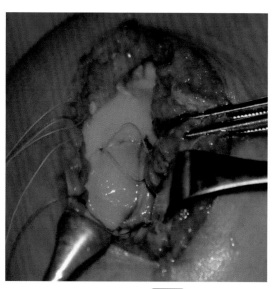

〔그6〕 배양연골의 이식

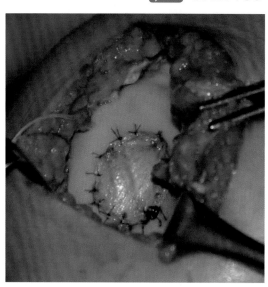

〔그7〕 골막을 주위 연골에 봉합한다.

5 수술 후 재활

술 후 재활치료는 수술 후 1주부터 관절가동범위 훈련을 시작, 수술 후 4주부터 부분 하중부하에 의한 보행훈련을 개시하고 수술 후 6주에 전체 하중을 부하하는 단계를 거친다. 수술 후에는 정기적인 임상성적 평가와 MRI 정밀조사를 실시한다. 본 저자는 수술 후 6개월과 1년 시에 관절경검사를 실시하고, 이식부위의 평가를 실시하고 있다. 이러한 수술 후 관절경검사를 통해서, 이식부위의 연골 과형성이나 골막손상 등의 합병증이 있으면 필요에 따라서 처치를 실시할 수 있는 이점이 있다.

참고문헌

1) Brittberg M, Lindahl A, Nilsson A, et al. Treatment of deep cartilage defects in the knee with autologous chondrocyte transplantation. N Engl J Med. 1994;331:889-95.
2) Ochi M, Uchio Y, Kawasaki K, et al. Transplantation of cartilage-like tissue made by tissue engineering in the treatment of cartilage defects of the knee. J Bone Joint Surg Br. 2002;84:571-8.
3) Ochi M, Uchio Y, Tobita M, et al. Current concepts in tissue engineering technique for repair of cartilage defect. Artif Organs. 2001;25:172 9.
4) Tohyama H, Yasuda K, Minami A, et al. Atelocollagen-associated autologous chondrocyte implantation for the repair of chondral defects of the knee:a prospective multicenter clinical trial in Japan. J Orthop Sci. 2009;14:579-88.
5) Takazawa K, Adachi N, Deie M, et al. Evaluation of magnetic resonance imaging and clinical outcome after tissue-engineered cartilage implantation:prospective 6-year follow-up study. J Orthop Sci. 2012;17:413-24.
6) Adachi N, Ochi M, Deie M, et al. Implantation of tissue-engineered cartilage-like tissue for the treatment for full-thickness cartilage defects of the knee. Knee Surg Sports Traumatol Arthrosc. 2014;22:1241-8.

슬관절 통증

VI. 슬관절 통증
무릎 통증에 대한 관절경수술

후나바시 정형외과병원 스포츠의학센터 **츠치야 아키히로(Akihiro Tsuchiya)**

Introduction

수술 전 고려 사항

● 적응증과 금기증

추벽장애, 관절내 유리체, 타박상, 혈관종이나 색소융모결절성 활액막염 (pigmented villonodular synovitis; PVS) 등의 통증을 동반한 종괴가 통증의 원인이 되는 환자의 경우에 종종 인대, 반월판, 연골 질환 혹은 스포츠로 인한 외상·장애로 오진되어 수술적 치료를 선택하는 경우가 있다. 따라서, 치료방법을 결정하기 전에 이러한 질환들에 대한 감별진단이 중요하다.

추벽장애에서는 동통과 압통의 부위가 진단의 결정적 수단이 된다. 추벽이 흔하게 존재하는 슬개골 내측 원위에 통증이 있고, 굴곡 시에 통증이 저명하게 나타날 때에는 MRI를 촬영하여 추벽의 존재를 확인해야 하는데, 주로 횡단면 슬개–대퇴관절 부위에서 저휘도(low signal)로서 선반 모양의 띠(shelf-like band)가 확인된다. 단, 추벽은 무증상의 환자에서도 존재하며, 크기와 형태에 따라 분류되는 Sakakibara 분류의 C, D type에서 증상이 잘 나오는 것으로 알려져 있다. 냉찜질, 스트레칭 등을 충분히 실시한 후에도 통증이 남아있는 경우에만 수술적응이 된다.

관절내 유리체는 그 원인을 확인해야 하며, 그 치료가 우선되어 박리성 골연골염이나 연골손상 외에도, 활막성 골연골종증(synovial osteochondromatosis) 등을 생각해야 한다. 단순 X선상에서 연골성분만으로 구성된 유리체는 관찰되지 않기 때문에 MRI 검사가 필요하다. 골성분이 존재하더라도 단순 X선상만으로는 유리체를 정확하게 찾을 수 없는 경우가 많으므로 CT 검사가 필요하다.

슬관절 주변 타박상에서는 bone bruise뿐만 아니라 슬관절 상낭(suprapatellar pouch)의 타박상으로 인한 관절막과 대퇴골 사이 조직에 종창이 발생하여 능동 신전이 불가능해지는 증례도 존재한다. MRI에서는 이러한 조직 내에 지방억제상(fat suppression)에서 고휘도가 관찰되는데, 이렇게 관절 내의 조직뿐만 아니라 관절 외의 조직에도 주의를 기울임으로써 진단이 가능해진다. 관절가동범위의 제한이 과도한 경우에는 수술에 적응이 된다. 혈관종이나 PVNS에서도 관절 전체범위 내에 병변이 없는 국소적 결절성 활막염(localized nodular synovitis; LNS)은 비교적 어린 나이에도 관찰될 수 있고, 운동선수에게 발견되는 경우는 드물지 않다. 진단은 MRI로 확인한다. 종양성 병변이므로 진단되는 대로 수술에 적응이 된다.

● 마취

기본적으로 전신마취하에 수술을 한다.

● 체위

앙와위에서 환지하퇴를 수술대 측면에서 하수시켜 시행한다. 지혈대는 준비는 하되, 필요할 경우에만 사용한다. 특히 혈관종에서는 집도 전부터 지혈대를 작동하면 병변을 알 수 없게 된다. 유리체에서는 X선 투시장치를 준비해 둔다.

수술 진행

1 진단적 관절경

2 병변부 절제 혹은 적출
 · 추벽장애
 · 유리체
 · 타박상
 · 혈관종

Fast Check

❶ 무릎 통증을 일으킬 수 있는 질환에는 인대, 반월판, 연골의 손상 이외에도 여러 가지가 존재한다.
❷ 진단에 있어서 통증의 위치, 특히 화상을 통한 진단에서는 관절내 뿐만 아니라 관절외의 연부조직도 잘 관찰할 필요가 있다.
❸ 질환에 따라 만드는 삽입구에 대한 계획을 미리 해두는 것이 중요하다.

수술 술기

1 진단적 관절경

통상적인 전내측 삽입구와 전외측 삽입구에서 관찰을 실시한다. 유리체 적출의 경우에서는 유리체의 크기에 맞추어 필요한 경우, 통상보다 큰 삽입구를 제작한다. 또한 유리체는 슬와근막 열공(popliteal hiatus)으로 들어가는 경우가 많으므로 겸자를 도달하게 하기 위해 외측 mid parapatellar 삽입구를 만드는 경우가 많다. 단, 혈관종이나 LNS는 슬개하 지방체 부분에 발생하는 경우가 많기 때문에 최초 삽입구는 슬관절 상낭에 만들고, 종양성 병변을 확인하면서 해당 부위를 피해서, 전내측 삽입구와 전외측 삽입구를 제작한다 🎥1.

> **코멘트 NEXUS view** ////
>
> 종양성 병변은 종양 부분을 피해서 삽입구를 제작한다. 병변을 피한 상태의 삽입구에서 관찰하면서, 종양 절제에 최적으로 판단되는 곳에 다음 삽입구를 제작한다.

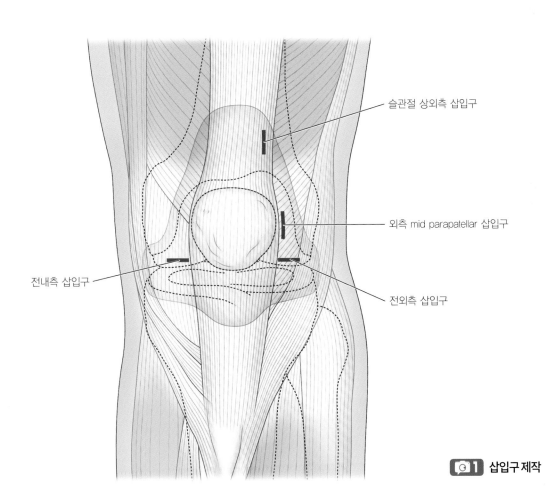

슬관절 상외측 삽입구

외측 mid parapatellar 삽입구

전내측 삽입구

전외측 삽입구

🎥1 삽입구 제작

2 병변부 절제 혹은 적출

추벽장애

　추벽은 주로 내측에 존재하므로 관절경은 외측에서, 절제기구는 내측에서 삽입한다. 기구로는 쉐이버를 이용하여 실시하는 것이 용이하지만, 경험이 적은 상태에서 익숙하지 않을 때는 RF (radio frequency) 디바이스를 이용해도 된다.

　절제는 지방체측에서 실시한다. 지방체와 추벽의 경계 부분부터 절제하고 서서히 중앙을 향해서 절제해 나간다. 이때, 내측 관절막을 절제하지 않도록 주의한다. 절제 부분에는 혈관이 있기 때문에 마지막으로 RF 디바이스에서 지혈을 실시하여 수술 후 혈관절증을 예방하도록 한다 📷2.

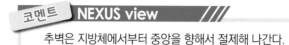

코멘트 **NEXUS view** ///

　추벽은 지방체에서부터 중앙을 향해서 절제해 나간다.

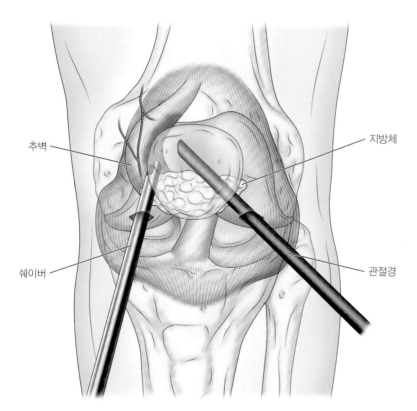

추벽　　　　지방체

쉐이버　　　관절경

📷2 추벽의 절제

유리체

관절내 유리체는 이름 그대로 관절 내를 돌아다니기 때문에 발견이 어려운 경우가 많다. 골성분이 함유되어 단순 X선상에 촬영된다면 집도 직전에 X선상을 촬영하여 위치를 확인하는 것이 중요하다.

유리체가 주로 보이는 위치는 **📷3** 에서, ① 슬와근 건막(tendon sheath), ② 후방 관절막, ③ Medial gutter, ④ Lateral gutter, ⑤ 반월판의 경골면, ⑥ ACL 전방, ⑦ 슬관절 상낭 등이므로 이곳들을 잘 관찰한다. 유리체가 존재하는 장소에 필요에 따라서는 적절한 위치의 삽입구를 추가하여 적출한다.

코멘트 **NEXUS view** ///

유리체가 존재하기 쉬운 부위를 확실하게 관찰하고, 유리체의 크기에 맞는 피부 절개를 하고, 적출에 사용하는 겸자도 유리체를 확실히 잡을 수 있는 크기를 선택한다.

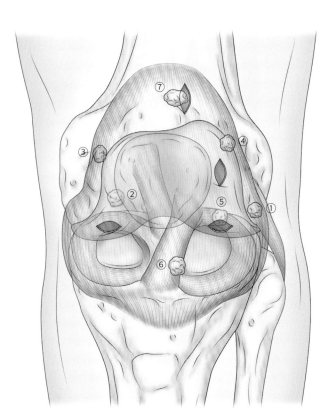

📷3 유리체가 관찰되는 장소

① 슬와근 건막(tendon sheath)
② 후방 관절막
③ Medial gutter
④ Lateral gutter
⑤ 반월판의 경골면
⑥ ACL 전방
⑦ 슬관절 상낭

타박상

무릎 주위의 타박상에서는 bone bruise나 연골손상이 일어나는 경우가 많다. 또한 슬관절 상낭에 야구공이나 상대의 무릎이 맞는 일도 드물지 않다. 그러한 경우에 관절막과 대퇴골 사이의 조직에 혈종이나 종창이 일어나 능동 신전이 불가능해지는 경우가 종종 있다 4. 이때는 혈종과 그 주위의 종창 부분을 절제하는 것으로 증상은 곧바로 좋아진다.

관절경을 전내측 삽입구로부터 삽입하고 관류액의 압력을 내리면 병변부가 팽창하는 것을 확인할 수 있다. 쉐이버를 전외측 또는 슬관절 상낭 삽입구에서 삽입하여 혈종과 그 주위를 변연절제 (debridement)한다 5.

코멘트 NEXUS view

유리체가 존재하기 쉬운 부위를 확실하게 관찰하고, 유리체의 크기에 맞는 피부 절개를 하고, 적출에 사용하는 겸자도 유리체를 확실히 잡을 수 있는 크기를 선택한다.

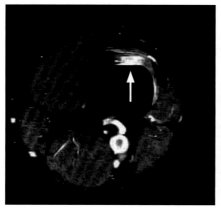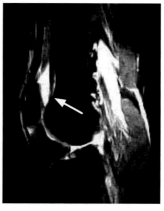

4 혈종과 그 주위의 종창

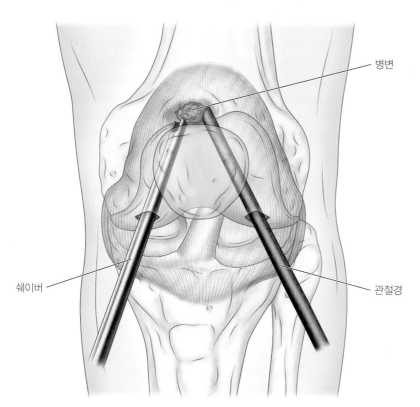

병변

쉐이버

관절경

5 혈종과 그 주위의 debridement

혈관종

국소성 혈관종이나 LNS는 슬개하 지방체 부근에 생기는 경우가 많다 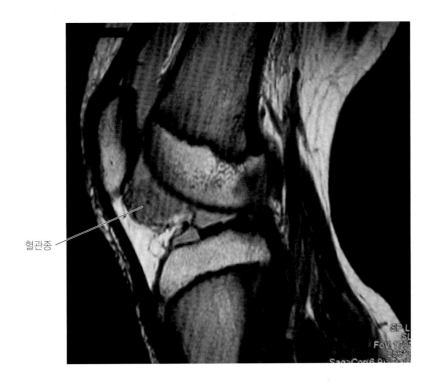6. 이를 위해 먼저 슬관절 상낭에 관절경을 삽입하고, 이를 통해 병변을 관찰하여 병변을 피할 수 있는 적절한 위치에 다음 삽입 구를 제작한다. 전외측·전내측·mid parapatellar 삽입구 모두를 사용하는 경우가 많다.

RF 디바이스를 이용하여 정상부와의 경계를 주의 깊게 박리해 나간다. 7, 8은 적출이 완료된 혈관종이다.

> **코멘트** **NEXUS view** /////
>
> 통상 관절경처럼 전외측 삽입구 제작을 첫 번째로 하면 종양조직을 관통하게 될 수 있으므로, 화상으로 확인하여 병변부위 근처가 아닌 삽입구부터 먼저 제작한다.

혈관종

6 **국소성 혈관종**

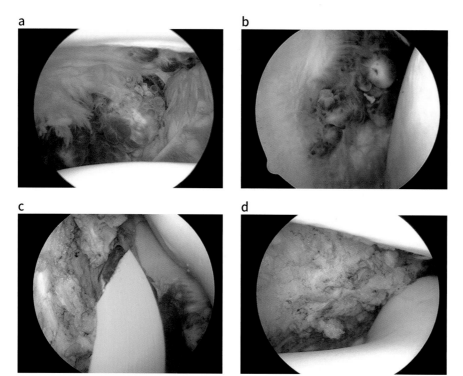

◎ 7 혈관종의 박리

a: 슬관절 상외측 삽입구에서 혈관종 전체를 관절경으로 확인한다.

b: 슬관절 상외측 삽입구에서 혈관종의 외측 가장자리를 확인한다.

c: 전외측 삽입구에서 RF 디바이스로 혈관종을 박리해 나간다.

d: 절제 후 소견

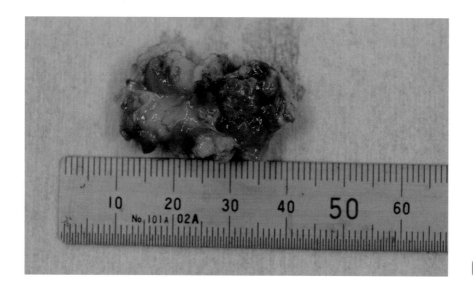

◎ 8 박리된 혈관종

참고문헌

1) Sakakibara J. Arthroscopic study on Iino's band (plica synovialis mediopatellaris). J Jpn Orthop Assoc. 1976;50:513-22.

2) Matsusue Y, Yamamuro T, Hama H, et al. Symptomatic type D (separated) medial plica:clinical features and surgical results. Arthroscopy. 1994;10:281-5.

3) Devaney K, Vinh TN, Sweet, DE. Synovial hemangioma:a report of 20 cases with differential diagnostic considerations. Hum pathol. 1993;24:737-45.